TEORIA E PRÁTICA DE RELAÇÕES PÚBLICAS

CIP-BRASIL. CATALOGAÇÃO NA PUBLICAÇÃO
SINDICATO NACIONAL DOS EDITORES DE LIVROS, RJ

D836t

Dreyer, Bianca Marder
    Teoria e prática de relações públicas : uma metodologia para diagnosticar, construir e obter resultados com os relacionamentos / Bianca Marder Dreyer ; [ilustração Cândida Almeida]. - 1. ed. - São Paulo : Summus, 2021.
    152 p. : il.

    Inclui bibliografia
    ISBN 978-65-5549-025-1

    1.Comunicação nas organizações. 2. Relações públicas. I. Almeida, Cândida. II. Título.

21-69589

CDD: 659.2
CDU: 659.4

Meri Gleice Rodrigues de Souza - Bibliotecária - CRB-7/6439

www.summus.com.br

TEORIA E PRÁTICA DE RELAÇÕES PÚBLICAS

Uma metodologia para diagnosticar, construir e obter resultados com os relacionamentos

Bianca Marder Dreyer

summus editorial

Editora executiva: **Soraia Bini Cury**
Assistente editorial: **Michelle Campos**
Capa: **Alberto Mateus**
Ilustrações: **Cândida Almeida**
Projeto gráfico e diagramação: **Crayon Editorial**

A autora teve financiamento da Coordenação de
Aperfeiçoamento de Pessoal de Nível Superior (Capes)
para realizar a pesquisa que deu origem a este livro.

Summus Editorial
Departamento editorial
Rua Itapicuru, 613 – 7º andar
05006-000 – São Paulo – SP
Fone: (11) 3872-3322
http://www.summus.com.br
e-mail: summus@summus.com.br

Atendimento ao consumidor
Summus Editorial
Fone: (11) 3865-9890

Vendas por atacado
Fone: (11) 3873-8638
e-mail: vendas@summus.com.br

Impresso no Brasil

Ao meu marido, Márcio, e
ao meu filho, Guilherme

Sumário

Prefácio – Por uma perspectiva contemporânea às relações públicas

As primeiras palavras-sensações que tive após a leitura de *Teoria e prática de relações púbicas – Uma metodologia para diagnosticar, construir e obter resultados com os relacionamentos* foram: inovação, revisão de paradigmas e aplicabilidade. Bianca Marder Dreyer toca fundo na essência do campo das relações públicas, as quais vê, de forma inovadora, como um processo de geração de relacionamentos. E, na sociedade digitalizada, relacionamentos são uma das bases das sociabilidades e visibilidades que vivemos, constituindo um capital intangível que necessita de tangibilidades para revelar a eficácia de todo processo comunicacional de uma organização. O livro de Bianca cumpre brilhantemente sua função.

Gostaria de destacar, entre as múltiplas contribuições que a obra traz aos leitores, aquelas que considero de impacto e reforço às minhas primeiras palavras-sensações, que, ao longo da leitura, se transformaram em certezas.

A autora apresenta a construção daquilo que denomino "uma nova teoria para as relações públicas", oferecendo um olhar menos atrelado aos cânones tradicionais e históricos do campo, mas sem desconsiderá-los. Propõe, ainda, uma perspectiva hipercontemporânea para o exercício de relacionamentos de/com essência – e não apenas o velho *modus operandi* praticado para impactar pontualmente os públicos que gravitam em torno das organizações.

A obra não é apenas teórica, mas utiliza bases teóricas sólidas para propor uma metodologia ecossistêmica, aplicável a qualquer tipo de organização que planeja, define e espera resultados decorrentes de seus processos de comunicação com públicos. Não à toa, Bianca foi buscar na metafísica aristotélica a sustentação de seu pilar analítico – conhecer as causas e os princípios primeiros de um conhecimento para que estes, em suas aplicações e ações, promovam o próprio relacionamento. Ao considerarmos qualquer organização como o melhor ambiente para o exercício das relações públicas, a prática da atividade se concretiza com base:

▸ no entendimento das relações a que se propõe – as causas, os motivos e as propostas;
▸ nas consequentes formas de interação nesse ambiente – os relacionamentos em diferentes formatos e linguagens;
▸ nos resultados desse exercício relacional – visibilidade, confiança e reforço da reputação.

Emerge aqui a perspectiva contemporânea do campo das relações públicas, inserido numa dinâmica de digitalização e de participação ativa da sociedade.

É partindo dessa estrutura conceitual que a obra apresenta uma Metodologia da Relação em Relações Públicas (MRRP), um marco para quem estuda, pesquisa e atua profissionalmente no tema. Uma ferramenta prática, objetiva, de fácil utilização e repleta de exemplos. A MRRP reflete a função intrínseca de uma pesquisa desenvolvida na academia – aplicabilidade imediata em benefício de melhorias de sua atividade-fim.

O processo de aplicação da MRRP nos leva ao entendimento de que não existem postulados pétreos para a comunicação na sociedade digitalizada. São rupturas bem-vindas e revitalizadoras que a obra da professora Bianca Dreyer propõe, reforçando que:

1. quaisquer relacionamentos – homem-homem, homem-máquinas, maquinas-máquinas – são os propulsores de todo o processo comunicacional na sociedade contemporânea;

2. os relacionamentos implicam ações de informação, sociabilidade, interação e comunicação, engajamento e estabelecimento de vínculos, assumindo um caráter de centralidade no tecido social;

3. os relacionamentos são transversais ao conjunto de campos que os ativam – relações públicas, marketing, publicidade, ciências da comunicação, ciências da informação, para ficarmos entre aqueles das ciências sociais;

4. tal transversalidade implica que as organizações assumam a integração de estratégias, objetivos, metas e métricas para a efetividade das relações;

5. o conjunto de rupturas que emergem indica uma salutar reformulação dos perfis profissionais e das respectivas formações acadêmicas desse campo múltiplo – não podemos mais falar em "gerentes de comunicação", "relações públicas/relações institucionais" ou "gestores de conteúdo". É hora de agregação, é hora dos gestores de relacionamentos.

Deixo aqui uma sugestão à prática da MRRP, sobretudo aos diversos gestores nas organizações: atuar nessa ambiência multifacetada e transversal significa priorizar de forma qualitativa, textual e clara as estratégias, os objetivos e as metas de uma ação relacional integrada para, com base na qualificação, definir métricas e KPIs (*key performance indicators*), as referências quantitativas de desempenho. A MRRP nos dá régua e compasso para não mais estruturarmos a comunicação a partir de KPIs hipotéticos e inatingíveis, mas que servem para "performar" diante da plateia organizacional.

Como se não fossem suficientes todas as qualidades desta obra, é necessário registrar as qualidades da profissional, docente, pesquisadora e grande amiga. Acompanhei, como orientadora, toda a trajetória acadêmica de Bianca, trabalhamos em parceria em diversos momentos, pesquisamos, escrevemos e continuamos nos divertindo juntas seja qual for a proposta em que nos envolvemos. O resultado é que nossos relacionamentos são povoados de leveza, seriedade e perspicácia, qualidades típicas de Bianca. Também ressalto aos leitores deste livro que sua autora teve a brilhante capacidade de transformar uma tese de doutoramento paradigmática e de ruptura teórica num guia indispensável para profissionais, pesquisadores e estudantes que atuam e promovem relacionamentos.

Mais do que recomendo a leitura, recomendo sua prática.

PROFESSORA DOUTORA ELIZABETH SAAD CORRÊA
Professora titular sênior da Escola de Comunicações
e Artes da Universidade de São Paulo (ECA-USP)
Coordenadora do Grupo de Pesquisa COM+

Introdução

ESTE LIVRO APRESENTA UMA ABORDAGEM teórica e uma metodologia para saber *o que são* e *como se fazem* relações de comunicação para obter resultados sociais e econômicos em prol de um ator social.

A teoria explica *por que* as relações e as interações são essenciais para qualquer tipo de conexão entre atores sociais, e a Metodologia da Relação de Relações Públicas (MRRP) explica *como* diagnosticar, planejar, implementar e avaliar as relações de comunicação de negócio entre organizações[1] e seus públicos de interesse.

A MRRP é uma ferramenta inovadora que tem o intuito de ajudar profissionais de comunicação, pois trata especificamente do ativo intangível mais valioso para as relações públicas – o relacionamento – e mostra como podemos construir e melhorar as relações de comunicação de negócio com os mais diversos públicos para obter vantagem competitiva. Investir nesse tipo de relação implica compreender que os ativos intangíveis proporcionam retorno para a reputação, enriquecem a proposta de valor para clientes e proporcionam ganhos na perspectiva financeira da organização.

O diferencial desta obra não está na teoria em si; está na coerência entre teoria e prática, amparada pela fundamentação teórica científica capaz de sustentar e correlacionar os relacionamentos na práxis. Acreditamos que as relações públicas são a ciência que estuda e planeja relações de comunicação entre atores sociais com o propósito de construir uma boa reputação. Na prática, a maneira como cada ator social construirá essa relação muda de acordo com os diferentes níveis de interação.

---

1. Embora existam diferenças conceituais entre eles, utilizaremos, para fins desta obra, os termos *organizações* e *empresas* como sinônimos.

No primeiro capítulo, por conseguinte, apresentaremos uma nova abordagem teórica das relações públicas, com as quatro causas que fundamentam a razão de ser dessa ciência.

No Capítulo 2, demonstraremos de que forma a teoria proposta está vinculada à práxis das relações públicas. Detalharemos, portanto, como a relação se materializa por meio de quatro níveis de interação.

No terceiro capítulo, esclareceremos que a relação e a reputação são ativos intangíveis que propiciam ganhos sociais e econômicos para os negócios de um ator social. Denotaremos a necessidade de criar objetivos, metas, métricas e *key performance indicators* (KPIs) para a relação, apontando também o papel que o monitoramento e a mensuração têm na busca por resultados.

No Capítulo 4, mostraremos que as relações de comunicação de negócio podem agregar valor para os clientes. Abordaremos também a necessidade de alinhar a estratégia de comunicação com a estratégia da organização. Por fim, faremos uma proposta de como formular estratégias centrais e operacionais em comunicação.

No último capítulo, proporemos a MRRP para ajudar profissionais de comunicação a obter resultados com o relacionamento entre atores sociais, sobretudo organizações e públicos. Explicaremos também por que falamos em relações de comunicação de negócio.

Ademais, acreditamos que as relações públicas podem fortalecer-se e cooperar com outras áreas. Entretanto, é preciso superar os limites do comum e compreender que as relações de comunicação se realizam para além da comunicação institucional, permeiam todas as áreas de uma organização, integram as relações de negócio e ainda estão presentes em diferentes frentes do mercado de trabalho.

No que tange ao ensino das relações públicas, entendemos ser crucial que o enfoque esteja nas questões teóricas, o que é indispensável para formar profissionais mais aptos a contribuir para o progresso da ciência, bem como para o futuro da disciplina.

Para tanto, este livro contribui para a epistemologia da disciplina e fomenta seu desenvolvimento. É importante, porém, aclarar que o caminho está sempre aberto para novas contribuições e que o campo precisa de estudos para reforçar a importância teórica e prática das relações públicas na academia e no mercado.

Esta obra é indicada não só para todos aqueles que estudam e trabalham com comunicação, mas também para aqueles que dela precisam para seus negócios.

Desejo que todos tenham uma boa leitura e que ela traga muitos questionamentos, pois é por meio deles que a ciência evolui.

BIANCA MARDER DREYER

1. Proposição teórica com diretrizes práticas para as relações públicas

ESTE CAPÍTULO PROPÕE UMA ABORDAGEM teórica das relações públicas que explica *por que* as relações e as interações são essenciais para qualquer tipo de conexão entre atores sociais. Apresentaremos o arcabouço teórico das causas que explicam a razão de ser das relações públicas para que, no próximo capítulo, possamos detalhar as diretrizes práticas dessa nova teoria. Evidenciaremos que a *relação* é intrínseca e teórica, que as *interações* são extrínsecas e práticas e que uma e as outras precisam estar juntas para que os atores sociais obtenham reputação positiva.

Em Dreyer (2019), mostramos o *status* dos estudos sobre relacionamento em relações públicas no âmbito internacional e nacional, além das perspectivas do mercado. As pesquisas demonstraram a necessidade de mais estudos sobre o tema e trouxeram as bases para a proposta teórica e metodológica que será revelada neste livro.

As causas da existência das relações públicas: uma proposição teórica

A CIÊNCIA QUE NOS AJUDOU a pensar numa nova abordagem teórica das relações públicas foi a metafísica[2], pois ela busca o conhecimento da essência

---

2. A metafísica (Aristóteles, 2015) contribuiu na instância epistemológica deste estudo. Para mais detalhes, veja Dreyer (2019). Disponível em: <https://teses.usp.br/teses/disponiveis/27/27152/tde-17052019-112427/pt-br.php>. Acesso em: mar. 2020.

das coisas. Em sua primeira definição, metafísica é a ciência ou o conhecimento das causas e dos princípios primeiros ou supremos (Aristóteles, 2015, p. 15; Reale, 2014, p. 37) .

Para Aristóteles[3] (2015, p. 191), os significados de causa são:

1. a matéria de que são feitas as coisas;
2. a forma;
3. o modelo;
4. as partes que compõem algo;
5. o princípio primeiro da mudança;
6. o propósito.

O conjunto dos significados forma uma estrutura para o conhecimento.

Assim sendo, para propormos uma abordagem das relações públicas que fundamente as relações e interações como princípios inerentes à existência dessa disciplina, devemos entender que é primordial pesquisarmos as próprias causas primeiras das relações públicas[4].

Aristóteles (*ibidem*, p. 15) estabelece que as causas primeiras são quatro:

1. causa formal;
2. causa material;
3. causa eficiente;
4. causa final.

Cada uma dessas causas tem um sentido diferente.

Segundo Reale (2014, p. 53), as duas primeiras não são mais do que a forma e a matéria que estruturam todas as coisas sensíveis. Dependendo do que for avaliado, as duas primeiras causas serão suficientes para explicar as

---

3. Aristóteles (384-322 a.C.) é um dos mais consagrados filósofos gregos. Discípulo de Platão, teve grande influência no pensamento ocidental. Suas obras contemplam diversas áreas, como ética, estética, física, política, retórica, metafísica e lógica, entre outras.
4. Com base em Lemos (2017), entendemos que relações públicas é uma disciplina.

coisas. Contudo, em outras situações, como no próprio exemplo das relações públicas, são necessárias as quatro causas. "Se considerarmos o ser das coisas estaticamente, bastam; se, ao contrário, considerarmos as coisas dinamicamente, isto é, em seu desenvolvimento, em seu devir, em seu produzir-se e em seu corromper-se, então não bastam mais" (Reale, 2014, p. 53, grifos do autor). Seguindo o mesmo autor (*ibidem*, p. 54), apresentaremos agora cada uma das causas.

1) Causa formal

A causa *formal* é a forma ou essência das coisas: a alma para os viventes, a energia para a luz, o motor para um carro, entre outros exemplos. Segundo Aristóteles (2015, p. 15), "num primeiro sentido, dizemos que causa é a substância e a essência. De fato, o porquê das coisas se reduz, em última análise, à forma e o primeiro porquê é, justamente, uma causa e um princípio".

Mostramos a evolução da atividade de relações públicas nas diferentes fases da *web* em Dreyer (2017a) e descrevemos como, na contemporaneidade, essa atividade "mantém sua essência – o relacionamento organização-públicos. O que muda é a forma como o profissional de RP vai desenvolver esses relacionamentos diante de públicos cada vez mais conectados" (Dreyer, 2017a, p. 150). Nesse sentido, defendemos que a causa formal das relações públicas é a relação, ou seja, é sua essência, é a substância que a faz existir. *Por que existem as relações públicas?* A resposta é simples: a causa de sua existência é a *relação*. O *ser* das relações públicas é a própria relação. Em Dreyer (2019), demonstramos que a relação apresenta múltiplos significados, propriedades, classes e tipos que se dão entre atores sociais. Mostramos também que a relação está ancorada nos preceitos da lógica. Assim, é importante esclarecer por que, num primeiro momento, falamos em relação, não em relacionamento.

Iniciemos pela definição das palavras *relação* e *relacionamento* segundo o *Grande dicionário Houaiss*[5]. Relação é substantivo feminino. Entre suas

---

5. "Relação". In: *Grande dicionário Houaiss* (*online*, por assinatura).

diversas acepções, estão o ato de informar, de noticiar; semelhança, parecença; vinculação de alguma ordem entre pessoas, fatos ou coisas; ligação, conexão. Já relacionamento[6], substantivo masculino, é o ato ou efeito de relacionar(-se); a capacidade de manter relacionamentos, de conviver bem com seus semelhantes.

Relação e *relacionamento* são palavras que guardam forte proximidade, isto é, muita semelhança. Alex Primo (2003, p. 61), por exemplo, esclarece em sua pesquisa que "*relação* e *relacionamento* serão usados indistintamente". Embora em diversas ocasiões as palavras sejam empregadas com o mesmo sentido, utilizaremos a palavra *relação*, pois entendemos que o relacionamento se desenvolve depois de estabelecida uma relação. No Capítulo 3, assinalaremos em que momento consideramos que os atores sociais, com base na relação, estabelecem vínculos mais fortes com seus públicos, caracterizando relacionamentos.

De acordo com Mário Ferreira dos Santos (1966, p. 1.184), a palavra *relação* vem do latim *relatum*. A relação consiste apenas em haver-se o que se é ante outro. O ser da relação é um ser debilíssimo e funda-se, no mínimo, em dois que tenham ordem um ao outro.

Ao trazermos tal definição para o contexto desta obra, a Figura 1 mostra que o ser das relações públicas é representado pelo círculo central, pois é a própria relação que surge do encontro das partes.

FIGURA 1 | O *ser* das relações públicas[7]

6. "Relacionamento". *Ibidem.*
7. Os quadros e figuras sem indicação de fonte foram concebidos pela autora e ilustrados por Cândida Almeida.

O que caracteriza a relação é o grau de realidade dos termos relacionados. Duas coisas semelhantes são semelhantes em algo; é esse *em algo* que dá positividade concreta à relação (*ibidem*).

Em relações públicas, podemos dizer que, quanto maior for o grau de realidade dos termos relacionados, melhor será a relação entre atores sociais. O grau de realidade corresponde ao grau de identificação entre as partes da relação. No ambiente digital, por exemplo, esse grau de realidade é mutante, já que varia de acordo com a velocidade de informação e os temas abordados pelos atores envolvidos.

A Figura 2 ilustra a semelhança entre uma empresa e seus clientes com conteúdo sobre sustentabilidade.

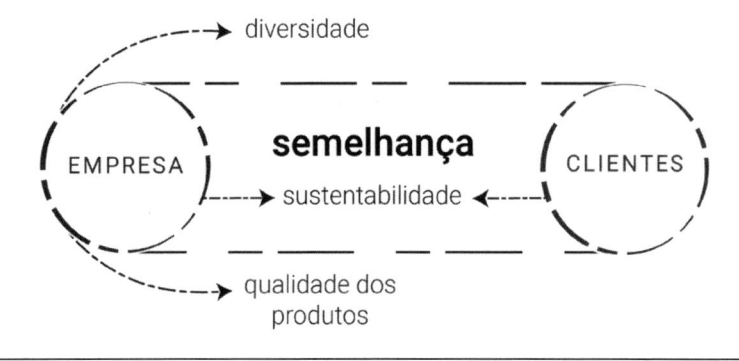

FIGURA 2 | Semelhança entre empresa e clientes

Na Figura 2, os atores sociais são representados por uma empresa e seus clientes. A empresa divulga conteúdo sobre sustentabilidade, diversidade e a qualidade de seus produtos, mas a semelhança se dá quando a outra parte – os clientes – demonstra identificação com a mensagem recebida. Assim, há relação no momento em que ocorre essa semelhança. A relação é o que dá vida ao encontro entre as partes; e o que dá consistência à relação é o conteúdo, cujo grau de realidade deve estar na medida do grau de autenticidade que se deseja dar à relação. O relacionamento é, assim, uma consequência da relação; uma consequência do *ser* das relações públicas.

Entretanto, embora as palavras *relação* e *relacionamento* sejam habitualmente usadas nas definições teóricas e sobretudo nas práticas de relações públicas, muitos autores acreditam que a comunicação deve ser o objeto formal da disciplina. A respeito disso, Simões (1995, p. 127-28) afirma que duas alternativas se apresentam de imediato. "A primeira, por tradição, seria a de considerar a comunicação como objeto formal." O autor discorda dessa alternativa por considerar que "o conceito, com todas as suas implicações presentes em qualquer tipo de relação", é "por demais genérico e de difícil discriminação e controle". Quanto à segunda alternativa de objeto, Simões cita a relação de poder e diz que "o problema anterior da abrangência se repetiria". Para ele, "a relação de poder é o capítulo básico da política". Dessa maneira, o autor propõe o conflito como objeto formal: "O ponto de referência para se interpretar a interação entre organização e públicos é o conflito. [...] Tudo é feito com a intenção de evitar ou resolver conflitos". Nenhum evento organizacional ocorre em conjunturas sociais, culturais, econômicas e políticas iguais e com a mesma expectativa de seus públicos. "A possibilidade de descompasso entre o que faz a organização e o que esperam os públicos é latente."

Diferimos das três propostas (comunicação, relação de poder e conflito) quanto ao objeto formal das relações públicas, pois estamos nos referindo à *causa* da existência das relações públicas, e estas, como detalhado antes, só podem existir se houver uma relação – afinal, é justamente a relação que dá vida à matéria, assim como a alma dá vida aos homens. Ademais, de acordo com Broom, Casey e Ritchey (2000, p. 20), há vínculo de comunicação na construção de relacionamentos, mas é necessário conceituar os relacionamentos organização-públicos como fenômenos observáveis distintos de seus antecedentes e de suas consequências e independentes das partes na relação. Ferguson (2018, p. 7-8) defende o relacionamento como foco principal nos esforços de pesquisa, e não as organizações ou os públicos como unidades de análise.

2) Causa material
A segunda causa é a *material*, aquilo de que é feita uma coisa: a matéria dos animais são a carne e os ossos, a da taça de ouro é o ouro etc. Aristóteles

(2015, p. 15) reitera que, "num segundo sentido, dizemos que causa é a matéria e o substrato".

As relações públicas também possuem uma causa material. *De que são "feitas" as relações públicas?* Resposta: de atores sociais. Sem a presença de atores sociais, não há como estabelecer nenhum tipo de relação. Os atores sociais vivificam as relações públicas. Por atores sociais entendemos organizações públicas e privadas (ONGs inclusive), grupos, movimentos sociais, pessoas públicas, indivíduos, espaços de interação (Twitter, Facebook, Instagram, TikTok etc.), robôs e públicos em geral, entre outros que, de alguma forma, tentam estabelecer uma relação. Portanto, a causa material das relações públicas são os atores sociais. De acordo com Xifra (2011, p. 30),

> os sujeitos que promovem as relações públicas são atores sociais, já que entre eles se incluem não apenas pessoas jurídicas ou organizações. A pessoa física, o indivíduo, pode ser sujeito promotor das relações públicas, especialmente as pessoas publicamente relevantes. Essas personagens públicas ou personalidades têm uma reputação no entorno formado por diferentes públicos, aos quais elas devem atender pela gestão de suas relações, especialmente com os meios de comunicação.

Segundo Simões (1995, p. 125), "a intenção de [...] conhecer relações públicas cientificamente implica ir ao encontro do prescrito pela metodologia científica. As regras da ciência exigem, entre outros pontos, que o objeto de qualquer ramo de estudo seja perfeitamente delimitado". Desse modo, Simões delimita o objeto material das relações públicas na organização e em seus públicos. No que tange à organização, o autor (*ibidem*, p. 126) explica que "relações públicas, em certo sentido, são uma função organizacional e como tal inserida em uma organização, não existindo sem ela. Opera-se de modo integrado com a mesma e em seu benefício". Simões aclara que "este funcionalizar-se ocorre em um sistema no qual o outro componente são os públicos e o que eles significam". Portanto, organização e públicos são elementos concretos ou materiais. Além disso, verifica-se que todas as definições conceituais, "sem exceção, possuem indicação explícita de que o trabalho de relações públicas refere-se à organização (ou outro termo sinônimo) e aos públicos (ou também outro termo sinônimo)". O autor estende o conceito a pessoas públicas e instituições: "tudo o que são e o que fazem as relações públicas adapta-se também à ação humana que seja do interesse público" (*ibidem*, p. 129). Marcondes Neto (2015, p. 52) cita a relação entre um ente – que pode ser indivíduo, causa, marca, movimento ou organização – e seus públicos de interesse. Para França (2011) e Terra (2015), relações públicas são uma atividade de gestão dos relacionamentos entre as organizações e os públicos. Outros autores, como Huang e Zhang (2015), Ki e Shin (2015), Jahansoozi (2013), Ferguson (2018) e Broom, Casey e Ritchey (2000), pesquisam o relacionamento entre organizações e públicos.

Xifra (2011, p. 29, tradução nossa) define o objeto de estudo das relações públicas como

> a direção de um processo de comunicação estratégica promovido por um ator social (indivíduo, empresa, órgão público, nação, Estado...) – como pessoa, organização, marca, ideia, causa ou interesse – para fazer a gestão das relações de influência mútua com seus públicos com o objetivo de criar, manter, reforçar ou modificar sua reputação.

Quando defendemos a ideia de que a causa material das relações públicas são os atores sociais, estamos incluindo aí as relações no ambiente digital. Raquel Recuero (2011, p. 25) explica que, quando se trabalha com redes sociais na internet,

> os atores são constituídos de maneira um pouco diferenciada. Por causa do distanciamento entre os envolvidos na interação social, principal característica da comunicação mediada por computador, os atores não são imediatamente discerníveis. Assim, neste caso, trabalha-se com representações dos atores sociais, ou com construções identitárias do ciberespaço.

Dessa forma, diz a autora, um ator social pode ser representado por um blogue ou por um perfil no Twitter ou no Facebook, por exemplo. Diante do exposto, incluímos entre os atores sociais os espaços de interação proporcionados por plataformas digitais.

Mayanna Estevanim e Elizabeth Saad Corrêa (2018, p. 17) falam em indivíduos como sujeitos dados. Segundo as autoras,

> os sujeitos dados são rastros de ações em ambiências digitais que mostram comportamentos, tensões, manifestações e tendências na web. São discursivisados matematicamente; são indivíduos, mas indicam formações coletivizadas. Temos, portanto, uma problemática [em que] é preciso pensar em: sujeitos comunicantes, instituições, jornalistas, sujeitos em vestígios de dados, falsos sujeitos em subjetividades que são construídas com ou sem o uso de *bots* (robôs).

Com base nisso, consideramos que o ator social também pode ser um robô que estabelece algum tipo de relação com outros atores sociais de interesse.

Por fim, os públicos[8] e os *stakeholders*[9] (que normalmente são jargões utilizados no mercado) constituem também atores sociais. Ao ator social que tem interesse em construir uma relação cabe, por conseguinte, pesquisar o perfil e as características daqueles que são parte dessa escolha.

Até aqui, apresentamos as duas primeiras causas – isto é, a *forma* e a *matéria* – que estruturam as relações públicas. Falamos, portanto, da *relação* e dos *atores sociais*. Entretanto, precisamos considerar que o *ser* das

---

8. França (2012, p. 34), ao examinar a definição de público mais comum, "a qual defende a classificação simplista de públicos em internos, externos e mistos", assinala que essa classificação "se tornou paradigma quase único na explicação da relação das organizações com seus públicos". O autor (2012, p. 35) esclarece que Cândido Teobaldo de Andrade consolidou aquele conceito, que se firmou no ensino de relações públicas. Para um estudo mais aprofundado sobre públicos, ver também Oliveira (2011), Lattimore *et al.* (2012), Martinuzzo (2014) e Silva (2019), entre outros.
9. Conceito proposto em 1984 por Edward Freeman (2010).

relações públicas é construído e reconstruído dinamicamente e em sintonia com o ambiente social, cultural, econômico, político, ambiental e digital em que os atores sociais se encontram. Dessa forma, a terceira e a quarta causa são fundamentais para concluirmos nossa proposta teórica para as relações públicas.

3) Causa eficiente

A terceira causa é a *eficiente* ou motora, da qual provêm a mudança e o movimento das coisas. A vontade é causa eficiente de várias ações do homem; o golpe que se dá numa bola é causa eficiente de seu movimento. Assim, Aristóteles (2015, p. 15) afirma que, "num terceiro sentido, dizemos que causa é o princípio do movimento".

Com base nisso, qual poderá ser a causa eficiente das relações públicas? Em outras palavras, o que gera o movimento, isto é, o "fazer" das relações públicas? Resposta: a interação. A interação é causa eficiente das ações de relações públicas, ou seja, ela é o princípio do movimento. No entanto, é importante esclarecer que, assim como o golpe que se dá numa bola pode ter diferentes intensidades, assim também há diferentes níveis de interação em relações públicas. Isso posto, propomos quatro níveis de interação:

▶ nível 1 – interação que informa (II);
▶ nível 2 – interação que comunica (IC);
▶ nível 3 – interação que gera participação (IGP);
▶ nível 4 – interação que gera vínculo (IGV).

Os quatro níveis podem ocorrer em três ambientes: físico, *online* e híbrido. A escolha de um ou mais níveis de interação vai depender sempre do objetivo de comunicação estabelecido pelo ator social em seu planejamento e de quanto ele está disposto a investir. Consideramos os quatro níveis de forma dinâmica, em seu produzir-se e em seu corromper-se, como ciclos de uma relação. Por isso, não podem ser aplicados de maneira estanque, fechada; os níveis de interação devem ser considerados em desenvolvimento e, em muitas situações, inter-relacionados. Por fim, o conjunto dos níveis apresenta duas finalidades: visibilidade e confiança. Todos os níveis, em maior ou menor intensidade, podem dar visibilidade a um ator social, assim como desenvolver a confiança, mesmo que esse último atributo seja inerente ao quarto nível de interação. O nível 4 de interação é justamente aquele que trata de criar vínculos entre os atores sociais, isto é, vínculos de confiança. Dessa forma, no nível 4, há de fato relacionamento entre os atores sociais e seus públicos, pois a relação já foi estabelecida de alguma maneira.

Portanto, para entendermos como se fazem relações públicas na prática, precisamos compreender sua causa eficiente e, mais especificamente, os quatro níveis de interação e seus ambientes. No próximo capítulo abordaremos detalhadamente os níveis de interação e seus desdobramentos.

4) A causa final

A quarta e última causa é a *final*, que constitui o fim ou o propósito das coisas e das ações; indica aquilo em vista de que – ou em função de que – cada coisa é ou advém ou se faz; e isso é o bem de cada coisa. Segundo Aristóteles (2015, p. 15), "num quarto sentido, dizemos que causa é o oposto do último sentido, ou seja, é o fim e o bem: de fato, este é o fim da geração e de todo movimento".

Qual é o propósito das relações públicas? Qual é o fim dos níveis de interação? A resposta a tais questões é a reputação. O propósito das relações públicas é construir reputação por meio dos quatro níveis de interação, os quais, em conjunto, trabalham a visibilidade e a confiança entre os atores sociais.

Recuero (2011, p. 109) compreende a reputação como a "percepção construída de alguém pelos demais atores e, portanto, implica três elementos: o 'eu' e o 'outro' e a relação entre ambos". Ora, tais elementos são justamente o *ser* das relações públicas que explicamos anteriormente. Para a mesma autora (*ibidem*, p. 110), a reputação é um julgamento do outro, de suas qualidades; é, assim, uma percepção qualitativa.

A reputação é o propósito final das relações públicas também porque acompanha os quatro níveis de interação, ou seja, acompanha a produção, a reprodução, o rompimento e o realinhamento dos ciclos das relações em ambientes digitais ou não. No que tange ao ambiente digital, Recuero (*ibidem*) esclarece que "uma das grandes mudanças causadas pela internet está no fato de que a reputação é mais facilmente construída através de um maior controle sobre as impressões deixadas pelos atores".

A reputação em relações públicas é citada por muitos autores. Para França (2011, p. 315), as relações públicas fazem a gestão dos relacionamentos da organização com os públicos e com a opinião pública a fim de manter a reputação da organização em patamares favoráveis. Marcondes Neto (2015; 2020) considera a reputação um dos elementos de sua proposta conceitual e prática. Para ele (2015, p. 87), a boa reputação é o objetivo de todo e qualquer indivíduo, causa, movimento ou organização, e isso depende de uma sucessão de atitudes e comunicações com o público. Huang e Zhang (2015, p. 22) apontam evidências de que a reputação é um ativo organizacional que serve de indicador do relacionamento entre organizações e públicos. Xifra (2011, p. 29) considera a reputação o objetivo final do processo de relações públicas. Segundo o autor (*ibidem*, p. 35), a reputação é um ativo intangível que tem valor para a organização, marca ou indivíduo. Lemos (2015) aborda o papel essencial de relações públicas na gestão integrada da reputação em ambientes digitais. Esses autores são apenas alguns exemplos entre os que discorrem sobre o tema.

Como vimos, cada uma das causas tem sentido diferente e, em conjunto, contribuem para a concepção de uma proposta teórica para a disciplina das relações públicas. Acreditamos que essa abordagem colabore com um campo que já apresenta teorias, práticas e correntes de pesquisa. Além disso, cremos que nenhuma proposta teórica ou prática atingirá a totalidade de um campo.

Com base no que foi exposto, podemos dizer que as causas primeiras da existência das relações públicas, bem como a estrutura teórica para o conhecimento dessa disciplina, são:

1. causa formal: a relação;
2. causa material: os atores sociais;
3. causa eficiente: a interação;
4. causa final: a reputação.

Reale (2014, p. 54-55) esclarece que o "mundo apresenta um harmônico e constante suceder-se e alternar-se de geração e corrupção e de mudanças em geral". Desse modo, embora aprofundemos as quatro causas primeiras da existência das relações públicas, a estrutura completa de nossa proposta para a disciplina de relações públicas se dá no momento que consideramos também as causas eficientes – isto é, causas que tratam da produção do movimento, do tempo e da constância das mudanças. Ora, uma proposta completa é aquela que apresenta fundamentação teórica coerente, capaz de sustentar e correlacionar a essência das coisas em seu devir, ou seja, em seu produzir-se e corromper-se dinamicamente – portanto, em sua prática. Em outras palavras, a nova teoria que estamos preconizando apresenta *a relação* como causa formal ou essência das relações públicas, de um modo que sustenta e correlaciona as ações na prática. Nesse sentido, quando dizemos que a estrutura completa de nossa proposta teórica abrange os movimentos, o tempo e as mudanças, afirmamos que levamos as práticas em consideração. As relações entre os atores sociais sofrem mutações e inúmeras vezes são inconstantes, principalmente devido às tecnologias de comunicação. Tais relações se refletem na vida pessoal e profissional. A respeito disso, podemos dizer que "estamos diante de indivíduos ubíquos que produzem conteúdo em mobilidade" (Dreyer, 2017a, p. 72). Assim, não há como refletir sobre a prática das relações públicas sem ter em mente que os indivíduos, de acordo com suas possibilidades, podem estar conectados 24 horas por dia, lendo e produzindo conteúdo. Além disso, esses indivíduos, no que tange à comunicação, vivem num tempo que, embora constante, é também intemporal[10]. A Figura 3 apresenta a estrutura completa das causas que explicam as relações públicas.

---

10. Conceito de temporalidade criado por Manuel Castells (2011) para explicar a forma dominante do tempo social na sociedade em rede.

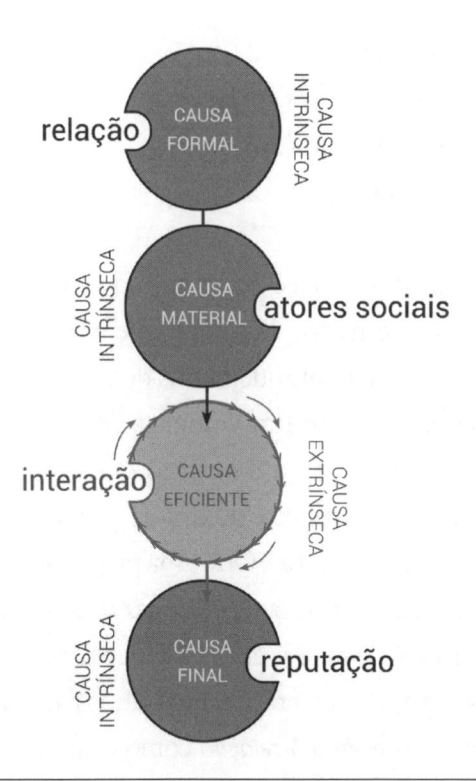

FIGURA 3 | Estrutura das causas da existência das relações públicas

Uma teoria para as relações públicas com diretrizes práticas

COMO ESSA PROPOSTA VINCULA TEORIA e prática? Ou, ainda, *por que* podemos considerar que a teoria apresentada tem diretrizes práticas?

Das quatro causas da existência das relações públicas, três são intrínsecas a elas e uma é extrínseca. As intrínsecas são a causa formal, a causa material e a causa final. Por conseguinte, podemos dizer que a relação, os atores sociais e a reputação são causas intrínsecas à existência das relações públicas, ou seja, a disciplina precisa delas para existir. Assim, essas três causas são teóricas.

A causa prática é a causa eficiente, isto é, a interação. A atividade de relações públicas está sujeita ao movimento e à mudança por meio de suas interações. Como dissemos anteriormente, existem diferentes níveis de interação, que variam de acordo com a vontade de agir de cada ator social.

Embora a causa eficiente (interação) seja uma das quatro causas da existência das relações públicas, ela é variável, correspondendo, assim, à prática das relações públicas, que ocorre mediante programas, projetos, ações e campanhas e evolui de acordo com o próprio desenvolvimento e interesses da sociedade e do mercado.

Com base no que foi exposto, consideramos nossa proposta teórica com diretrizes práticas conforme as seguintes considerações:

1. temos as quatro causas ou princípios que explicam a existência das relações públicas;
2. dessas quatro causas, três são teóricas e uma é prática;
3. a causa prática será detalhada com a Metodologia da Relação de Relações Públicas (MRPP), no Capítulo 5.

Portanto, a teoria poderá manter-se, mas a prática, que está totalmente alinhada à teoria, evolui nas formas de interação. Em outras palavras, as relações públicas podem ser consideradas *a ciência que estuda e planeja relações de comunicação entre atores sociais com o propósito de construir uma boa reputação*. Na prática, a maneira como cada ator social constrói essa relação muda de acordo com o nível de interação planejado. A Figura 4 resume o capítulo.

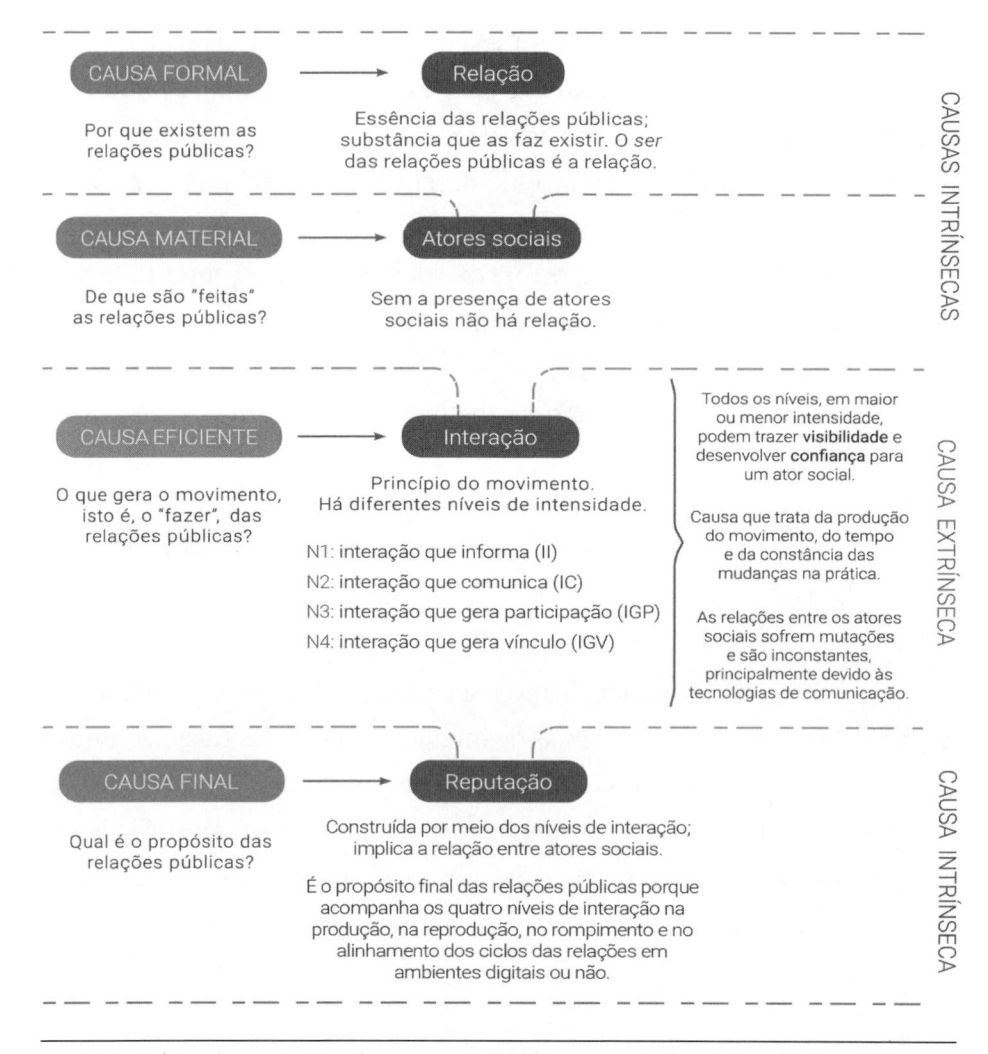

FIGURA 4 | Arcabouço teórico das causas que explicam a razão de *ser* das relações públicas

2. As diretrizes práticas: os quatro níveis de interação

Neste capítulo detalharemos a causa eficiente das relações públicas, isto é, a causa extrínseca e prática, que é a interação. De início, esclareceremos o que é interação e os três ambientes nos quais ela pode acontecer. A seguir descreveremos os quatro níveis de interação, seus respectivos exemplos e finalidades. Ao final do capítulo será possível compreender como as relações públicas acontecem na prática, ou seja, como a relação se materializa por meio das interações.

Interação

A interação é o princípio do movimento. Como os movimentos nem sempre têm a mesma intensidade, propomos a existência de quatro níveis de interação que ocorrem nos ambientes físico, *online* e híbrido.

De acordo com o *Houaiss*[11], interação é "influência mútua de órgãos ou organismos inter-relacionados"; "ação recíproca de dois ou mais corpos"; "comunicação entre pessoas que convivem; diálogo, trato, contato".

Conforme Thompson (2014, p. 119), o desenvolvimento dos meios de comunicação cria novas formas de ação e de interação, novos tipos de relacionamento social e faz surgir uma complexa reorganização de padrões de interação humana através do espaço e do tempo. Assim, "a interação se dissocia do ambiente físico, de tal maneira que os indivíduos

---

11. "Interação". In: *Grande dicionário Houaiss, op. cit.*

podem interagir uns com os outros ainda que não partilhem do mesmo ambiente espaço-temporal".

Em Dreyer (2017a), apresentamos diversos tipos de interação e os relacionamos às relações públicas . Entretanto, acreditamos que as interações também apresentem níveis que evoluem de acordo com a intensidade da relação. Sendo assim, propomos a definição de que interação é o princípio do movimento entre os atores sociais; é a causa eficiente das relações públicas; é o que define a intensidade da relação.

Os três ambientes das interações

Fundamentalmente, as interações ocorrem no ambiente físico, no ambiente *online* e no ambiente híbrido.

O *ambiente físico* é aquele em que os indivíduos se encontram no mesmo intervalo de tempo e têm a possibilidade de fazer trocas presenciais. Esse ambiente reúne também indivíduos que estão apenas fisicamente no mesmo período e local, pois, no caso, os interesses estão voltados para vivências virtuais. São as relações que chamamos de desinteressadas, pois o foco está não no momento da troca presencial, mas no da troca virtual.

As relações no ambiente físico são consideradas tradicionais porque, segundo Jeremy Rifkin (2001, p. 198),

> nascem de coisas como parentesco, etnia, geografia e visões espirituais compartilhadas. São unid[a]s pelas noções de obrigações recíprocas e pelas visões de destinos comuns. São sustentad[a]s pelas comunidades cuja missão é reproduzir e assegurar continuamente os significados compartilhados que compõem a cultura comum. Tanto os relacionamentos quanto as comunidades são considerados como fins.

Portanto, as relações e os relacionamentos vistos como tradicionais ocorrem em ambientes físicos e podem ser classificados conforme níveis de interação. Além disso, podem evoluir para interações no ambiente *online*.

O *ambiente online* é o que abarca com mais facilidade interações a distância, pois os indivíduos "encontram-se virtualmente" no mesmo período ou, ainda, em períodos diferentes.

Pierre Lévy (1999, p. 129) esclarece que as "relações 'virtuais' não substituem pura e simplesmente os encontros físicos [...]. Em geral é um erro pensar as relações entre antigos e novos dispositivos de comunicação em termos de substituição".

Rifkin (2001, p. 9) explica as mudanças estruturais no rumo da Era do Acesso. Para ele,

> a mudança dos mercados para as redes e da propriedade para o acesso, a marginalização da propriedade física e a ascendência da propriedade intelectual e a crescente transformação das relações humanas em *commodities* lentamente estão nos fazendo sair de uma era em que a troca de propriedade é a função crítica da economia e entrar em um novo mundo em que a compra de experiências vividas se torna a *commodity* consumada.

As mudanças citadas pelo autor já integram a realidade do mercado e têm evoluído cada vez mais, à medida que o ambiente *online* se torna a primeira opção de compra, venda e experiência para muitos indivíduos. Há interesse econômico nas relações humanas e uma valorização das experiências vividas, pois estas dão resultados financeiros para os mais diversos atores sociais. Esse tipo de retorno ocorre por meio do investimento nas relações de comunicação de negócio, que geram valor para os clientes e demais envolvidos.

No que toca aos relacionamentos, Rifkin (2001, p. 87) esclarece que "a ênfase na formação de relacionamentos duradouros com o cliente é muito mais importante para o sucesso de uma empresa que o objetivo mais limitado de fazer transações de vendas separadas". Entretanto, para o autor (*ibidem*, p. 198), os relacionamentos transformados em *commodities* são de natureza instrumental, isto é, contratual em vez de recíproca, e "são sustentados por redes de interesses compartilhados enquanto as partes envolvidas continuarem a honrar suas obrigações contratuais".

Nesse sentido, Jenkins, Ford e Green (2014, p. 208-209) concordam que

> as empresas exploram com cinismo, às vezes, o desejo do público de "participar", de modo a servir para fins comerciais, ao passo que cedem muito pouco controle para aqueles que participam, além de raramente adotarem práticas mais participativas por motivos puramente altruístas. Pelo contrário, as empresas adotam práticas participativas como um meio de aumentar o engajamento do público.

Quando nos referimos ao ambiente *online*, estamos falando de interações de diferentes intensidades que ocorrem pela midiatização das relações entre atores sociais, isto é, interações que dependem de plataformas digitais e dispositivos para interação.

Bianca Dreyer e Elizabeth Saad Corrêa (2018, p. 5) entendem a "midiatização como elemento catalisador para que os relacionamentos organizacionais que ocorrem em plataformas sociais digitais funcionem de forma propositiva para a empresa/marca". Trindade (2014, p. 8), ao discorrer sobre os conceitos de mediação e midiatização no âmbito dos estudos da comunicação e consumo, afirma que

> as mediações permitem compreender o sujeito na dinâmica dos processos comunicacionais com suas apropriações frente às realidades [em] que atuam. A midiatização percebe nessas apropriações do sujeito uma estrutura que depende de contextos, temporalidades e uma lógica institucional/ideológica que via interações, por meio de dispositivos comunicacionais, modelizam padrões culturais, práticas de sociabilidade, [e] institucionalizam lógicas políticas, crenças e percepções.

O resultado da interação entre atores sociais no ambiente *online* não depende apenas de dispositivos e plataformas digitais nem de quem planeja a comunicação; depende fundamentalmente dos algoritmos que compõem cada mídia, porque estes dão o direcionamento das mensagens. Trindade (*ibidem*, p. 12) alerta para a influência dos algoritmos quanto às finalidades sociais de interação. De acordo com o autor, os algoritmos "tomam uma dimensão social de dominância hegemônica e semântica, pois quem estrutura o algoritmo estruturará os tipos e graus e condições de interação com seus significados atrelados".

Os mesmos aspectos levantados no ambiente *online* compõem o ambiente que chamamos de híbrido, pois este é a junção do ambiente físico e do ambiente *online*. Assim, o *ambiente híbrido* já "nasce digital", mas suas ações de comunicação são planejadas para acontecer de forma compartilhada com o ambiente físico. De acordo com o dicionário *Priberam*[12], o termo *híbrido*, em seu sentido figurado, significa "que ou o que tem elementos diferentes em sua composição".

Elizabeth Saad Corrêa esclarece que uma das condições da contemporaneidade digital é a transversalidade. Segundo a autora (2016, p. 32), transversalidade diz respeito "à capilaridade das tecnologias digitais atuando simultaneamente nos processos que operam as atividades comunicativas, nos sistemas que integram processos anteriormente fragmentados, nos dispositivos cada vez mais convergentes". Assim sendo, dentre os pontos de reflexão de Saad Corrêa, destacamos o enraizamento das tecnologias digitais, a ponto de ser discutível a separação da comunicação em *online* e *offline*, e a reconfiguração das noções de tempo, velocidade, espaço e local, em decorrência das tecnologias digitais.

Ainda podemos falar em ações para diferentes ambientes, mas em poucos anos planejaremos iniciativas direcionadas quase exclusivamente para espaços híbridos. Isso se deve ao avanço das tecnologias, sobretudo da inteligência artificial (IA).

Segundo Kai-Fu Lee (2019, p. 131), a revolução completa da inteligência artificial ocorrerá em quatro ondas: IA de internet, IA de negócios, IA de

---

12. "Híbrido". In: *Dicionário Priberam da língua portuguesa* [*online*], 2008-2020.

percepção e IA autônoma. "Cada uma dessas ondas aproveita o poder da IA de uma maneira diferente, atacando diferentes setores e inserindo a inteligência artificial mais profundamente no tecido de nossa vida diária." A IA de internet e a IA de negócios já fazem parte da nossa vida pessoal e profissional. Os *sites* de *streaming* de vídeo, os serviços de consumo de conteúdo audiovisual e as plataformas de mídias sociais digitais são apenas alguns exemplos de IA de internet.

De acordo com o mesmo autor (*ibidem*, p. 136-137), a IA de negócios faz a mineração de bancos de dados "para correlações ocultas que muitas vezes escapam ao olho nu e ao cérebro humano". Essa segunda onda "baseia-se em todas as decisões e resultados históricos dentro de uma organização e usa dados rotulados para treinar um algoritmo que pode superar até mesmo os humanos mais experientes". Alguns exemplos entre muitos são o diagnóstico de doenças, negociações mais inteligentes e a detecção de fraudes.

Nessas duas primeiras ondas de inteligência artificial, Lee (2019, p. 143) esclarece que os algoritmos ainda navegam em informações digitais mediadas por seres humanos. O que muda na terceira onda de IA de percepção são os algoritmos de aprendizado profundo. O autor (*ibidem*, p. 145) explica que, "à medida que a IA de percepção melhorar o reconhecimento de nossos rostos, compreensão de nossas vozes e visão do mundo ao nosso redor, isso adicionará milhões de pontos de contato entre os mundos *online* e *offline*". É a mistura do ambiente *online* com o ambiente físico – o futuro próximo da comunicação. O que chamamos aqui de ambiente híbrido, Lee (*ibidem*, p. 145-46) chamou de OMO: *online-merge-offline* (*online* combinado com *offline*). Essa integração "traz a conveniência do mundo *online* para o *offline* e a rica realidade sensorial do mundo *offline* para o *online*. Nos próximos anos, a IA de percepção transformará *shopping centers*, supermercados, ruas e nossas casas em ambientes OMO".

A última onda é a IA autônoma. Ela representa a junção dos elementos das inteligências anteriores e ainda oferece uma capacidade complexa de novas possibilidades sensoriais. Lee (*ibidem*, p. 156) afirma que "combinar esses poderes sobre-humanos produz máquinas que não apenas compreendem o mundo ao seu redor – elas conseguem moldá-lo". Esse tipo de inteligência diz respeito a carros autônomos e cidades, restaurantes e fábricas robotizadas.

No que tange especificamente à comunicação, a evolução das transformações no *back office* da rede – em que se incluem algoritmos, inteligência artificial e gerenciamento de dados, entre outros fatores – afeta as relações de comunicação de negócio entre organizações e públicos. Cada vez mais os profissionais deverão ser capazes de trabalhar com dados de forma estratégica, e seu maior desafio será encontrar alternativas para criar com os públicos vínculos que extrapolem as relações "artificiais".

Os três ambientes descritos são a base dos quatro níveis de interação propostos a seguir.

Os quatro níveis de interação

SEGUNDO DOMINIQUE WOLTON (2011, P. 15), vivemos "no momento do triunfo da informação e das tecnologias que a acompanham". Entretanto,

> a revolução do século XXI não é a da informação, mas a da comunicação. Não é a da mensagem, mas a da relação. Não é a da produção e da distribuição da informação por meio de tecnologias sofisticadas, mas a das condições de sua aceitação ou de sua recusa pelos milhões de receptores, todos sempre diferentes e raramente em sintonia com os emissores.

Para Byung-Chul Han (2012, p. 60), a sociedade da informação é aquela que disputa o poder e a atenção dos públicos. Ao relacionarmos a sociedade da informação com relações públicas, frisamos que "o profissional de relações públicas, ao desenvolver um projeto para uma empresa, deve se preocupar em obter a atenção dos públicos, pois o poder da comunicação [...] passou a ser compartilhado entre as organizações e seus públicos" (Dreyer, 2017a, p. 28), e isso se deve principalmente às plataformas de mídias sociais digitais.

Wolton (2011, p. 17) explica que "existem três grandes categorias de informação: oral, imagem e texto". Há também tipos de informação:

> a *informação-notícia* ligada à imprensa; a *informação-serviço*, em plena expansão mundial graças especialmente à internet; e a *informação--conhecimento*, sempre ligada ao desenvolvimento dos bancos e bases de dados. Falta a *informação relacional*, que permeia todas as demais categorias e remete ao desafio humano da comunicação. (Grifos do autor)

Embora Wolton seja um crítico das tecnologias de comunicação, essa obra sua é importante para mostrar três aspectos:

1. o elo entre *relação* e comunicação;
2. o papel da *relação* na comunicação, independentemente do ambiente em que essa comunicação se dá; e
3. o fato de que o progresso da comunicação humana e social não está subordinado ao progresso das tecnologias.

A respeito desse último aspecto, Wolton (*ibidem*, p. 29) explica que a ideologia tecnicista da comunicação consiste em "transferir para as ferramentas o trabalho de resolver problemas sociais para os quais elas não estão habilitadas. É crer que quanto mais tecnologia houver [...] mais os indivíduos se compreenderão".

As tecnologias facilitam a comunicação social, porém "a midiatização da transmissão e a interação não produzem necessariamente um sistema de comunicação" (*ibidem*, p. 31). O autor explica que as tecnologias "nunca serão suficientes para resolver as aporias existenciais da comunicação humana ou, então, estamos caminhando para 'solidões interativas'".

É notória a crítica às interações em plataformas digitais, e compreendemos isso na medida em que entendemos o elo entre relação e comunicação. O processo de comunicação precisa de relação, e tal relação vai além do simples ato de informar. É preciso criar semelhança com o outro, conforme mostramos no Capítulo 1, e isso é difícil num ambiente de excesso de informação como o digital. Os dois primeiros níveis de interação contemplam justamente a informação e a comunicação, como veremos a seguir.

Nível 1: interação que informa

De acordo com o *Grande Dicionário Houaiss*[13], informar é "dar instrução a; ensinar"; "ser informativo (para)". O nível da *interação que informa* (II) trata da informação como mensagem (Wolton, 2011) e abrange as categorias e os tipos descritos pelo mesmo autor. Assim, temos as categorias de informação oral, de imagem e de texto; nos tipos se incluem a informação-notícia, a informação-serviço e a informação-conhecimento. Portanto, esse nível não contempla a informação relacional.

A II tem o objetivo de apenas informar ou tornar algo conhecido. No entanto, mesmo com esse objetivo bastante restrito, ela é considerada um tipo de interação que ocorre nos ambientes físico, *online* e híbrido. O ator social informa a respeito de determinado assunto e não investe no diálogo com os indivíduos.

Por exemplo, uma empresa pode informar sobre seus produtos, serviços e assuntos institucionais ou, ainda, posicionar-se sobre temas de interesse geral. Independentemente do conteúdo da informação, do formato utilizado e do ambiente, ela está apenas informando.

Wolton (2011, p. 59) evidencia que é "claro que não há mensagem sem destinatário, mas ainda assim a informação existe em si". Nesse sentido, embora o objetivo da II seja apenas informar algo a alguém, a interação aparece pela presença física ou virtual dos públicos no espaço em que se dá a ação de informar. Para ilustrar, podemos citar o número de convidados que compareçam a um evento físico ou, também, o número de seguidores de uma marca numa mídia social digital qualquer. Ora, a intenção de um ator social de informar é perceptível, mas não necessariamente os destinatários a reconhecerão e compreenderão, mesmo que a ação seja presencial. Por

---

13. "Informar". In: *Grande Dicionário Houaiss (online), op. cit.*

isso, a II não busca o reconhecimento do outro na ação. Jenkins, Ford e Green (2014, p. 197) acreditam que "ainda há pessoas que estão essencialmente 'escutando' e 'assistindo' à mídia produzida por outros".

Entretanto, Wolton (2011, p. 24) relata que, "da informação mais pueril à comunicação mais comercial, o horizonte é o mesmo: a busca do outro e da relação". Os próximos níveis, que descreveremos a partir de agora, desvendam gradativamente essa busca do outro e da relação entre atores sociais.

Nível 2: interação que comunica

A *interação que comunica* (IC) destina-se a informar e comunicar. Há uma diferença entre informar e comunicar, principalmente no que diz respeito ao comportamento do ser humano ante as tecnologias de comunicação. De acordo com o *Houaiss*[14], comunicar é "transmitir, passar (conhecimento, informação, ordem, opinião, mensagem etc.) a alguém". Para Wolton (*ibidem*, p. 11), "informar não é comunicar". O autor (*ibidem*, p. 12) complementa que "a informação é a mensagem. A comunicação é a relação, que é muito mais complexa". Uma das razões dessa complexidade está no fato de que, "se não existe comunicação sem informação, a comunicação é sempre mais difícil, pois impõe a questão da relação, ou seja, a questão do outro. O resultado é incerto, visto que o emissor raramente está em sintonia com o receptor e vice-versa". A afirmação precedente nos remete às Figuras 1 e 2 (Capítulo 1, p. 20 e 21), que mostra a relação entre as duas partes quando há semelhança entre elas.

Embora diferentes, informação e comunicação devem andar juntas. Wolton (*ibidem*, p. 13) diz que "devemos pensá-las em conjunto, a comunicação exigindo um tratamento um pouco mais complexo por dizer respeito às questões da relação, da alteridade e do receptor".

Desse modo, quando falamos em comunicação, estamos levando em consideração os públicos para os quais desejamos que ocorra semelhança em relação a determinado conteúdo. É diferente de apenas informar e vai

---

14. "Comunicar". In: *ibidem*.

além. Wolton (*ibidem*, p. 87-88) define comunicação como "a questão que vem logo depois da informação e que diz respeito ao lugar do ator-receptor, aquele com quem não se está necessariamente de acordo, mas com o qual é preciso negociar em pé de igualdade".

Assim, a comunicação, por tratar da relação com o outro, abrange questões como convivência, aceitação e negociação. Para Wolton (2011, p. 88), "a comunicação é o aprendizado da convivência num mundo de informações onde a questão da alteridade é central".

O autor expõe três razões principais para que a comunicação aconteça: compartilhamento, sedução e convicção. Sobre compartilhar, Wolton (*ibidem*, p. 17) diz que "cada um tenta se comunicar para compartilhar, trocar. É uma necessidade humana fundamental e incontornável. Viver é se comunicar e realizar trocas com os outros do modo mais frequente e autêntico possível". A sedução é "inerente a todas as relações humanas e sociais". Por fim, a convicção está "ligada a todas as lógicas de argumentação utilizadas para explicar e responder a objeções".

Por conseguinte, quando falamos em *interação que comunica* (IC), referimo-nos ao ato de informar e propor algum tipo de interação que seja reconhecido pelo público nos ambientes físico, *online* e híbrido. Assim, esse nível considera a informação relacional, que é o último tipo de informação descrita por Wolton (*ibidem*) e remete ao desafio humano da comunicação. O ator social informa e inclui no conteúdo sugestões, convites e perguntas, ou seja, alguma proposta de interação que chama o público para a ação de clicar, baixar, acessar etc. Por exemplo, uma empresa pode divulgar uma receita de bolo, mas nesse conteúdo haverá "acesse nosso blogue para conhecer outras receitas" ou, ainda, "clique aqui e conte o que você achou do nosso bolo", entre muitas outras possibilidades.

De acordo com Wolton (*ibidem*, p. 59), "a comunicação só tem sentido por intermédio da existência do outro e do reconhecimento mútuo". Tal reconhecimento pode acontecer por meio de diferentes manifestações. Isso se deve ao fato de que "o destinatário existe desde sempre, mas a ruptura democrática consiste em reconhecer a liberdade e a igualdade dos protagonistas, ou seja, a igualdade do receptor, que pode aceitar, recusar ou negociar a informação".

Nível 3: interação que gera participação

A *interação que gera participação* (IGP) busca mais do que o reconhecimento do público; seus objetivos são informar, comunicar e gerar oportunidades de participação.

Jenkins (2009, p. 29) ressalta que "a circulação de conteúdos [...] depende fortemente da participação ativa dos consumidores". É justamente a respeito dessa participação ativa que discorreremos neste nível 3 de interação. Para o mesmo autor (*ibidem*, p. 30), nem todos os participantes têm as mesmas condições e habilidades de participação nas mídias. "Corporações – e mesmo indivíduos dentro das corporações da mídia – ainda exercem maior poder do que qualquer consumidor individual, ou mesmo um conjunto de consumidores." Não significa que esse conjunto de consumidores, que têm menor participação, não exerça papel importante. Segundo Jenkins, Ford e Green (2014, p. 200), "um 'observador' proporciona valor às pessoas que compartilham comentários ou produzem conteúdos multimídia, expandindo a audiência e potencialmente motivando o trabalho delas".

Embora qualquer ator social com acesso à tecnologia possa participar em maior ou menor grau de conversas, projetos e ações em plataformas de mídias sociais digitais, a IGP se insere no que Jenkins (2009, p. 30) chamou de "cultura participativa", pois esta "contrasta com noções mais antigas sobre a passividade dos espectadores dos meios de comunicação". O autor se refere aos atores sociais como produtores e consumidores de mídia. Para ele, "em vez de falar sobre produtores e consumidores de mídia como ocupantes de papéis separados, podemos agora considerá-los como participantes interagindo de acordo com um novo conjunto de regras, que nenhum de nós entende por completo".

Diante do universo de pessoas conectadas, os indivíduos que consideramos ativos são justamente aqueles "poucos" que participam de iniciativas na maior parte das vezes pontuais. A respeito disso, Jenkins, Ford e Green (2014, p. 240-41) afirmam que,

> quando dizemos que nossa cultura está em processo de se tornar mais participativa, falamos em termos relativos, ou seja, participativa em relação aos sistemas mais antigos de comunicação de massa, e não em termos absolutos. Não vivemos, e talvez nunca vivamos, em uma sociedade em que cada membro seja capaz de participar plenamente, em que a mais baixa das classes baixas tenha a mesma capacidade comunicativa que as elites mais poderosas.

Ainda que relativa e menos frequente, acreditamos que a participação ativa pode ocorrer em ambientes não apenas digitais, mas também físicos ou híbridos. Isso se deve ao fato de que entendemos por participação "o trabalho de públicos e não simplesmente de mercados e audiências" (*ibidem*, p. 240) em qualquer um desses ambientes. De acordo com o *Houaiss*[15], participar é "fazer saber; comunicar; informar"; "tomar parte em; compartilhar".

Para tentar o sucesso no desafio de propor formas de participação a indivíduos, é necessário ter em mente que "qualquer atividade voluntária precisa oferecer oportunidades que toquem em alguma motivação humana real" (Shirky, 2011, p. 161), além de expor conteúdos que encontrem *semelhança* entre os atores sociais envolvidos. É preciso encontrar um motivo para participar e compartilhar, pois apenas as plataformas digitais não são suficientes.

Ainda segundo Clay Shirky (*ibidem*, p. 162), "a fusão de meio, motivo e oportunidade cria nosso excedente cognitivo a partir da matéria-prima do tempo livre acumulado". Embora a transformação do nosso tempo livre em excedente cognitivo esteja fortemente vinculada às plataformas sociais digitais, "a verdadeira mudança vem da nossa consciência

---

15. "Participar". In: *Grande dicionário Houaiss (online)*, *op. cit.*

de que esse excedente cria oportunidades sem precedentes, ou de que cria uma possibilidade inédita para criarmos essas oportunidades uns para os outros".

A cultura da participação (Jenkins, 2009) motiva os indivíduos a ser produtores de algo, transformando seu tempo livre em excedente cognitivo (Shirky, 2011). Essas pessoas fazem parte de comunidades ou grupos que se formam em torno de uma ação ou causa que pode desenvolver-se por meio da inteligência coletiva (Lévy, 1999, p. 131), que é o modo de realização das pessoas nas redes digitais, isto é, uma tentativa de "colocar em sinergia os saberes, as imaginações, as energias espirituais daqueles que estão conecta-dos" em ambiências digitais.

Portanto, para os atores sociais que têm interesse em estabelecer inte-rações que gerem a participação de seus públicos, faz-se necessário criar oportunidades que despertem o desejo de participar. Por exemplo, uma em-presa pode elaborar ações que contem com prêmios, concursos, *games*, encontros, convites para iniciativas sociais, eventos etc. Nesse nível, é im-portante que os indivíduos que se envolveram nas ações demonstrem suas experiências com a marca, produto ou serviço publicamente.

Wolton (2011, p. 27) escreve que, "ontem, comunicar era compartilhar e reunir, ou unir. Hoje, é mais conviver e administrar descontinuidades. Cada um desses conceitos, informação e comunicação, absorve uma parte do referencial do outro".

A respeito da afirmação precedente, podemos dizer que os três níveis de interação são alternativas para tentar estabelecer estágios de convivência com os públicos e melhorar as descontinuidades das relações. Além dos conceitos de informação e comunicação, que sustentam os níveis 1 e 2, acrescentamos a participação no nível 3 como alternativa mais próxima da tentativa de propor justamente uma continuação das relações. Assim, dado que os níveis de interação propostos apresentam continuidade e absorvem as referências do nível anterior, o último nível tratará do que entendemos por vínculo, qual seja, uma relação que vai além da participação e constitui um relacionamento.

Nível 4: interação que gera vínculo

A *interação que gera vínculo* (IGV) tem os objetivos de informar, comunicar, gerar oportunidades de participação e criar vínculos com os públicos. De acordo com o *Houaiss*[16], vínculo é "aquilo que ata, liga", "estabelece um relacionamento lógico ou de dependência", "liga afetiva ou moralmente duas ou mais pessoas".

Portanto, a diferença mais significativa entre a IGP e a IGV é que essa última tenta tecer uma relação contínua e mais próxima com os indivíduos. Para Wolton (2011, p. 25), "a comunicação é um problema de convivência e de laço social, característica de uma sociedade de movimento, de interatividade, de velocidade, de liberdade e de igualdade". O problema, segundo o autor, diz respeito ao fato de que hoje a convivência e o laço social são considerados frágeis. "Os processos de informação e de comunicação contribuem para estruturar, por meio das múltiplas interações, um novo espaço público baseado num vínculo social mais dinâmico e frágil" (Wolton, 2011, p. 25).

Os dois primeiros níveis de interação tratam justamente de processos de informação e comunicação baseados em vínculos mais dinâmicos e mais pontuais entre atores sociais. O nível 3 e sobretudo o nível 4 procuram evoluir para relações mais sólidas. Dessa forma, a IGV procura desenvolver laços sociais, mesmo em ambientes digitais. O desafio é grande, pois "o que é o laço social senão este milagre: manter ligados, numa sociedade, indivíduos, grupos, comunidades e classes sociais que tudo separa?" (*ibidem*, p. 26).

Para Recuero (2011, p. 30), "a interação seria a matéria-prima das relações e dos laços sociais". Ora, os níveis tratam justamente da interação entre os atores sociais e seus públicos. No entanto, é preciso compreender que há uma evolução nessa interação para que possamos conquistar, junto aos públicos que nos interessam, o vínculo do laço social.

---

16. "Vínculo". In: *Grande dicionário Houaiss (online), op. cit.*

A mesma autora (*ibidem*, p. 38) define o laço social como "a efetiva conexão entre os atores que estão envolvidos nas interações. Ele é resultado, deste modo, da sedimentação das relações estabelecidas entre agentes".

O nível 4 (IGV) trata da interação mútua, do tipo de laço que é dialógico e forte. "Laços fortes são aqueles que se caracterizam pela intimidade, pela proximidade e pela intencionalidade em criar e manter uma conexão entre duas pessoas" (*ibidem*, p. 41).

Propomos a *interação que gera vínculo* como o nível 4 de interação porque acreditamos ser necessário percorrer um caminho para poder, de fato, construir vínculos assíduos, afetuosos, de médio e longo prazo, que se caracterizam como relacionamentos nos ambientes físico, *online* e híbrido.

Para ilustrar, a IGV ocorre no momento que uma empresa cria projetos de forma colaborativa com voluntários. A interação se dá em ciclos, isto é, a participação acontece mais de uma vez até que o objetivo seja atingido. Na IGV, a intenção de inovar é clara e há o entendimento de que as iniciativas que têm foco em inovação resultam também da base de conhecimento coletiva acumulada por informações de interesse público.

Esse último nível difere consideravelmente dos demais porque trabalha com o que Rifkin (2001, p. 4) define como capital intelectual, que é "a força propulsora da nova era, e muito cobiçada. Conceitos, ideias e imagens – e não coisas – são os verdadeiros itens de valor na nova economia. A riqueza já não é mais investida no capital físico, mas na imaginação e na criatividade humana". A nova era, como já explicado anteriormente, é a Era do Acesso, que

> é regida por um conjunto totalmente novo de pressupostos de negócio que são muito diferentes daqueles usados para administrar na era do mercado. No novo mundo, os mercados cedem às redes, os vendedores e compradores são substituídos pelos fornecedores e usuários, e praticamente tudo é acessado. (*Ibidem*, p. 5)

A Era do Acesso valoriza e investe nas relações de comunicação de negócio, e estas, como vimos, podem ocorrer por meio dos níveis propostos de interação. Ainda de acordo com Rifkin (*ibidem*, p. 80), "o sucesso na nova era será daqueles que forem capazes de fazer a transição de uma perspectiva de produção para uma perspectiva de marketing e da noção de fazer vendas para a de estabelecer relações".

Finalidades dos níveis de interação

CADA UM DOS NÍVEIS DE interação apresenta um grau de dificuldade. Há atores sociais que necessitam iniciar uma relação no nível 1, porém existem outros que, por já terem certa experiência, sentem-se seguros de começar pelos níveis 2 ou 3. Independentemente do nível em que se encontram as empresas, todas almejam ganhar visibilidade e obter confiança dos seus públicos de interesse.

Visibilidade

A visibilidade pode ser trabalhada nos ambientes físico, *online* e híbrido, desde que fique claro que "visível é o que pode ser visto, aquilo que é perceptível pelo sentido da visão" (Thompson, 2008, p. 20).

Segundo Elizabeth Saad Corrêa (2016, p. 22), "assistimos a processos simultâneos de 'fazer-se visível' e 'deixar-se visibilizar' que envolvem uma sucessão de propostas, ações, intenções que buscam a convergência de olhares, fidelizações e transações do público conectado". Ora, os quatro níveis de interação são processos interconectados justamente para "fazer--se visível" e "deixar-se visibilizar", mas incluindo também o ambiente físico e o híbrido.

No ambiente físico, Thompson (*ibidem*) aclara que "a visibilidade é situada: aqueles que são visíveis para nós são os que compartilham a mesma situação espaçotemporal". A visibilidade pode ser também recíproca quando conseguimos ver os outros e eles conseguem nos ver. É o que Thompson chamou de "visibilidade situada da copresença".

No ambiente *online*, "o desenvolvimento das mídias comunicacionais fez nascer assim um novo tipo de visibilidade desespacializada que possibilitou uma forma íntima de apresentação pessoal, livre das amarras da copresença" (*ibidem*, p. 24). Tal acontecimento foi chamado pelo autor de "sociedade da autopromoção". Essa autopromoção, válida para qualquer ator social, foi caracterizada por Han (2012, p. 21) como sociedade da exposição, pois "só quando são vistas as coisas assumem valor". Podemos ainda acrescentar a sociedade do espetáculo, que, segundo Debord (1997, p. 18), é o tempo da degradação do ser para o ter e o parecer.

Raquel Recuero (2011, p. 109) considera a visibilidade "um valor por si só, decorrente da própria presença do ator na rede social". Dessa forma, vale dizer que no nível 1, *interação que informa* (II), já existe a oportunidade de obter visibilidade no ambiente digital, pois basta estar presente nele. Para a autora (*ibidem*, p. 108), "a visibilidade é constituída enquanto um valor porque proporciona que os nós sejam mais visíveis na rede". Quanto mais um ator social interage no ambiente digital, mais visibilidade ele pode ter. Nas palavras de Recuero (*ibidem*), "quanto mais conectado está o nó, maiores as chances de que ele receba determinados tipos de informação que estão circulando na rede e de obter suporte social quando solicitar".

No ambiente híbrido encontramos todos os tipos de visibilidade e uma gama de possibilidades que podem ser trabalhadas entre os atores sociais.

Em Dreyer (2017b), assinalamos que existem dois elementos básicos para a gestão do relacionamento na contemporaneidade: a visibilidade e a interação, o que "implica compreender que a visibilidade inicial pode gerar interação, porém, quanto mais investimento em interação, maior será o retorno em visibilidade" (*ibidem*, p. 73). Dessa forma, fica evidente a relação entre interação e visibilidade. No entanto, além da visibilidade, os níveis têm o propósito de ajudar a obter confiança, como veremos agora.

Confiança

A confiança é uma árdua conquista. Os quatro níveis de interação servem justamente para ajudar os atores sociais a conquistar confiança diante de seus públicos de interesse.

Em Dreyer (2019), evidenciamos que a confiança é citada em praticamente todas as pesquisas que tratam de relacionamento, no âmbito tanto internacional quanto nacional, aí incluídas algumas pesquisas realizadas pelo mercado. Essa valorização da confiança revela a importância de estabelecer relações de comunicação de negócio com indivíduos nos ambientes físico, *online* e híbrido. Embora as ações em ambiente físico possam demandar mais verba, tempo e trabalho, a oportunidade de conhecer melhor o cliente é maior.

Dreyer e Saad Corrêa (2018, p. 7) entendem que "o cenário de midiatização dentro do contexto da comunicação nas organizações requer a inclusão da ideia de confiança para estabelecermos uma relação propositiva entre empresa e públicos".

A confiança é um sentimento que pauta relações, ou seja, trocas de aspectos comuns entre dois ou mais agentes. A confiança atesta a saúde dessa conexão e a predisposição de uma parte a esperar algo do interlocutor (Araújo, 2016, p. 131).

Han (2012) mostra um olhar mais crítico para as relações de confiança. Segundo o autor (*ibidem*, p. 70), confiança significa, "apesar do não saber em relação ao outro, construir com ele uma relação positiva. A confiança torna possíveis ações apesar da falta de saber. Quando sei tudo antecipadamente, a confiança é desnecessária".

Para Xifra (2011, p. 36), "a reputação nutre-se de confiança. A confiança, isto é, a esperança que se tem a respeito de alguém ou algo, repousa sobre a consistência, sobre uma solidez e uma coerência duradouras".

Entendemos a confiança como uma finalidade a alcançar por meio dos quatro níveis de interação. A informação, a comunicação, a participação e o vínculo podem ser trabalhados para conquistar confiança. Embora presente em todos os níveis, o nível 4, *interação que gera vínculo* (IGV), é o que de fato mais indica que as relações estabelecidas são de confiança.

A Figura 5 resume como as relações públicas ocorrem na prática, isto é, como a relação se materializa para fins de negócio gerando visibilidade e confiança para um ator social.

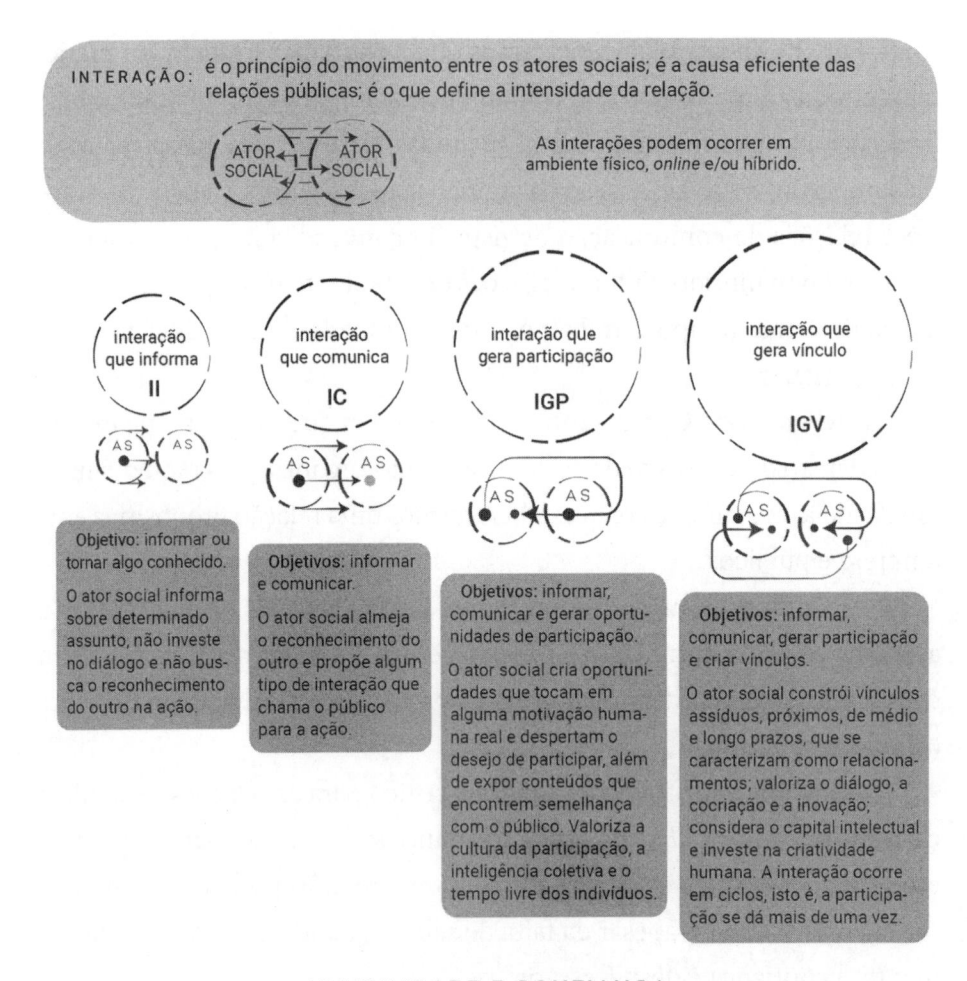

INTERAÇÃO: é o princípio do movimento entre os atores sociais; é a causa eficiente das relações públicas; é o que define a intensidade da relação.

As interações podem ocorrer em ambiente físico, *online* e/ou híbrido.

interação que informa — II

Objetivo: informar ou tornar algo conhecido.

O ator social informa sobre determinado assunto, não investe no diálogo e não busca o reconhecimento do outro na ação.

interação que comunica — IC

Objetivos: informar e comunicar.

O ator social almeja o reconhecimento do outro e propõe algum tipo de interação que chama o público para a ação.

interação que gera participação — IGP

Objetivos: informar, comunicar e gerar oportunidades de participação.

O ator social cria oportunidades que tocam em alguma motivação humana real e despertam o desejo de participar, além de expor conteúdos que encontrem semelhança com o público. Valoriza a cultura da participação, a inteligência coletiva e o tempo livre dos indivíduos.

interação que gera vínculo — IGV

Objetivos: informar, comunicar, gerar participação e criar vínculos.

O ator social constrói vínculos assíduos, próximos, de médio e longo prazos, que se caracterizam como relacionamentos; valoriza o diálogo, a cocriação e a inovação; considera o capital intelectual e investe na criatividade humana. A interação ocorre em ciclos, isto é, a participação se dá mais de uma vez.

VISIBILIDADE E CONFIANÇA

Os quatro níveis de interação são formas gradativas, interconectadas e, muitas vezes, sobrepostas de efetivar relações de comunicação para obter visibilidade e conquistar a confiança dos atores sociais.

FIGURA 5 | As diretrizes práticas para relações públicas: os quatro níveis de interação

3. Como obter resultados com ativos intangíveis

NESTE CAPÍTULO DEMONSTRAREMOS QUE a relação – causa formal das relações públicas – e a reputação – causa final – são ativos intangíveis que podem gerar resultados sociais e principalmente econômicos para os negócios de um ator social[17]. Para isso, faz-se necessário criar objetivos, metas, métricas e *key performance indicators* (KPIs) para a relação e mostrar o papel do monitoramento e da mensuração na busca de resultados.

Relação e reputação

A *RELAÇÃO* OCORRE POR MEIO dos quatro níveis de interação, e a *reputação* é a consequência das interações; ambas são ativos intangíveis. De acordo com Sérgio Caldas (2017, p. 92), ativos intangíveis são

> todos aqueles elementos que, trabalhando isolada ou juntamente com os ativos tangíveis ou mesmo intangíveis, de forma direta ou indireta, promovem benefícios financeiros futuros, do ponto de vista da continuidade das atividades do empreendimento, ou, ainda, são recuperáveis financeiramente de alguma outra forma subordinada a determinada circunstância, como a liquidação do empreendimento.

17. Neste capítulo exemplificaremos o ator social como "organizações" ou "empresas".

O autor explica que há dois direcionamentos para considerar um elemento intangível qualquer um ativo. O primeiro refere-se aos itens que integram o conjunto de bens de um empreendimento e são identificáveis e tratados contabilmente. Alguns exemplos: gastos com licenças, registro de marca, desenvolvimento de produtos, direitos de uso etc.

O segundo direcionamento do termo ativo intangível diz respeito aos

> elementos não corpóreos que, de forma direta ou indireta, trabalhando isoladamente ou em conexão com outros elementos intangíveis, se fazem presentes nas várias dimensões numéricas das organizações, tais como nos diferentes itens tangíveis dos seus investimentos, no conteúdo monetário das receitas e despesas operacionais [...]. (*Ibidem*, p. 93)

Dessa forma, entendemos que a *relação* é um elemento intangível que pode ser considerado ativo de acordo com o segundo direcionamento do termo, pois este trata de elementos não corpóreos, que trabalham em conexão com outros elementos intangíveis e com ativos tangíveis e intangíveis promovendo benefícios financeiros futuros para uma organização. Para exemplificar, podemos citar o trabalho de relacionamento (ativo intangível) realizado com um público específico para o lançamento de um produto (ativo tangível). O principal resultado das ações de relacionamento realizadas por meio dos níveis de interação é a *reputação*. Assim, a reputação também pode ser considerada um ativo intangível para os negócios.

Sobre as organizações, Caldas (2017, p. 93) salienta que, seja qual for o critério, "os números serão sempre a expressão final de todo o processo de gestão de sua estrutura patrimonial, em que os elementos humanos e materiais estarão permanentemente presentes". As Figuras 6 e 7 ilustram o que podemos elencar como elementos tangíveis e intangíveis.

Embora a Figura 7 especifique a "reputação da diretoria" e as "relações institucionais" como elementos intangíveis, podemos dizer que tanto a

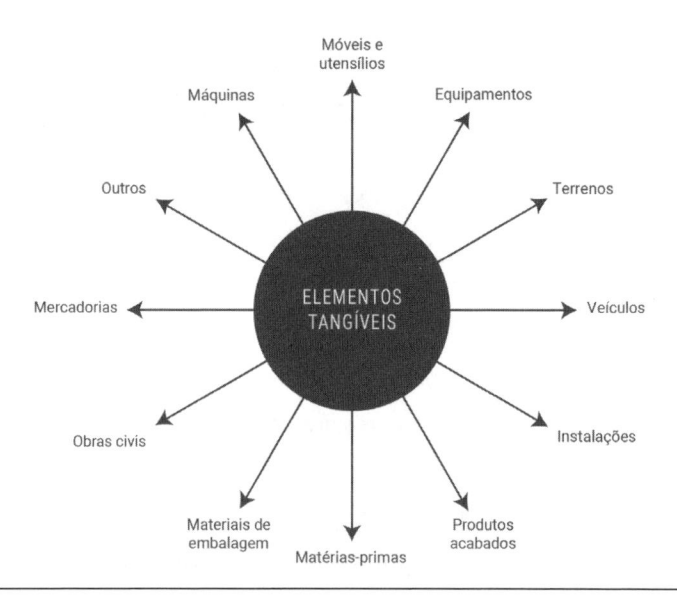

FIGURA 6 | Elementos tangíveis (Caldas, 2017, p. 98)

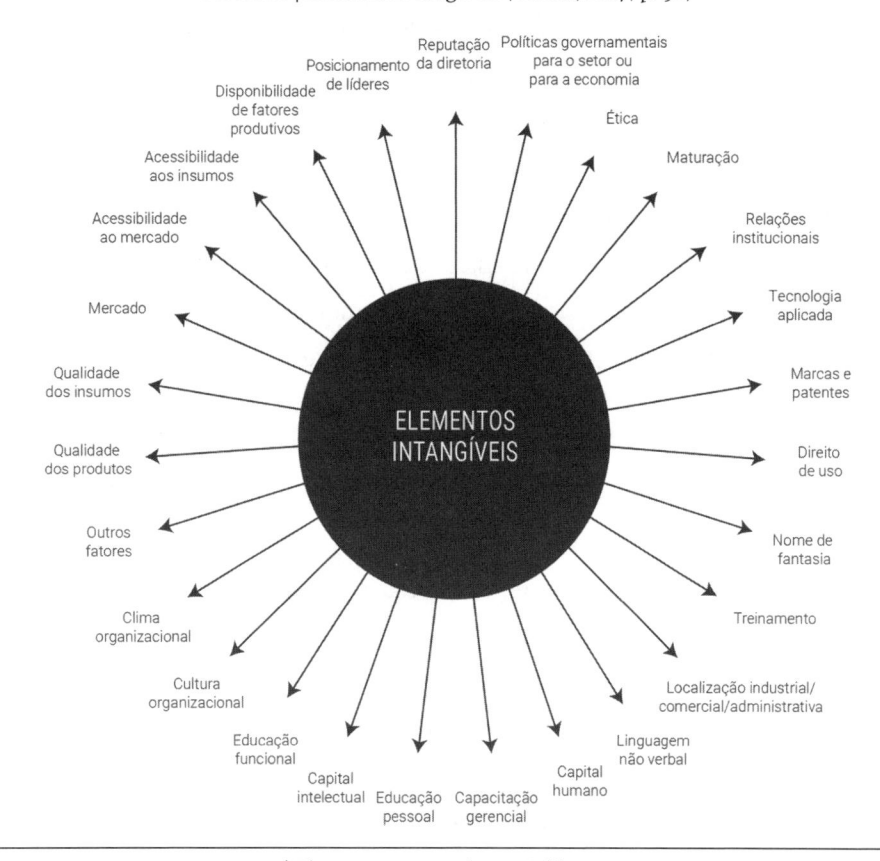

FIGURA 7 | Elementos intangíveis (Caldas, 2017, p. 99)

reputação quanto as *relações* estendem-se para outros elementos, como reputação da marca e relações de marketing, entre outros. A respeito disso, Caldas (2017, p. 100) afirma que os elementos intangíveis exercem,

> por meio de uma sinergia com outros fatores ou elementos também de natureza intangível ou até mesmo tangível, uma forte influência valorativa no rendimento de um empreendimento, e consequentemente na avaliação daqueles outros elementos intangíveis que consistentemente passaram a representar verdadeiros ativos.

A influência dos ativos intangíveis pode ainda ser positiva ou negativa. O autor cita o exemplo da "reputação da diretoria", que pode dilacerar a confiança do capital humano, destruir o clima organizacional e fazer degenerar o tecido ético, incentivando o conflito cultural, entre outras conexões. O resultado disso recai "nas expressões numéricas atuais e futuras da organização [...] e, consequentemente, em seus indicadores de desempenho econômico-financeiros" (*ibidem*).

Para que possamos entender que a relação e a reputação são ativos intangíveis que ganham valor no dia a dia do contato das organizações com seus públicos de interesse, precisamos conhecer os níveis de interação descritos no Capítulo 2, pois são eles que materializam as relações.

Os níveis de interação proporcionam relações de diferentes intensidades e finalidades. Temos, portanto, relações institucionais, mercadológicas, financeiras; há ainda relações específicas com o público interno, com investidores, acionistas, grupos de interesse etc. Todos os tipos de relação são considerados ativos intangíveis. Quanto maior o nível da interação, mais consistente a relação e, por consequência, mais positiva a reputação e forte o valor de mercado da organização.

Mário Rosa (2006, p. 118) afirma que "a reputação, que sempre foi um patrimônio crucial, tornou-se um ativo ainda mais precioso". Ana Luísa Almeida (2017, p. 137) diz que "a reputação de uma empresa é uma vantagem competitiva sustentável que permite a sua diferenciação em relação às demais que atuam no mesmo mercado". Entretanto, construir e manter uma reputação positiva continua sendo um desafio para as empresas.

A reputação é um ativo intangível cada vez mais precioso que impõe grandes desafios aos atores sociais, pois está diretamente relacionada com a evolução das tecnologias de comunicação e, principalmente, as plataformas de mídias sociais digitais que tornam visíveis a participação e a percepção dos indivíduos. Sendo assim, as plataformas de interação *online* evocaram outro tipo de reputação. Rosa (*ibidem*, p. 125) afirma que, "mais do que nunca, devemos estar afinados com uma nova forma de percepção que está sendo imposta a todos nós pela combinação de tantas novidades tecnológicas à nossa volta".

Portanto, temos que "reputação é percepção"; sua imagem "não é a que você projeta, mas a que os outros enxergam. Sua reputação, idem" (*ibidem*, p. 124). Quanto às organizações, Ana Luísa Almeida (2017, p. 140) assinala que a reputação é resultado de sua capacidade de gerar valor para os diversos *stakeholders* ao longo dos anos. De acordo com a autora, reputação diz respeito a

> uma percepção dos diversos segmentos de públicos que se relacionam com a organização e é construída a partir de múltiplas e diversas fontes de informação e experiência, tendo como base as ações e os comportamentos da organização, sua comunicação e, ainda, o que terceiros podem produzir de informação a seu respeito.

Quanto às informações que podem ser publicadas por terceiros, Lemos (2015, p. 204) explica que "a questão da reputação digital é um tema controverso e complexo", já que

> as organizações enfrentam o crescente desafio de gerenciar o incontrolável, o que, naturalmente, tem enormes limitações. Em um ambiente onde qualquer indivíduo pode emitir opinião, expressar seus pontos de vista e produzir conteúdo sobre temas de seu interesse (entre os quais, assuntos

que dizem respeito às organizações), a ideia de controle das interações está superada. No entanto, do ponto de vista técnico/funcional, diversas estratégias e mecanismos de gerenciamento, monitoramento e controle fundamentam o trabalho de gestão da reputação em ambientes digitais.

Nesse sentido, os quatro níveis de interação contribuem para a gestão da reputação em ambientes digitais; as iniciativas da organização devem ter o intuito não de controlar os indivíduos conectados, mas de abrir espaço para o diálogo e, a partir disso, pensar em novas estratégias.

Segundo Mário Rosa (2006, p. 125), "ser conhecido é muitos saberem quem você é. Nisso, a propaganda é crucial. Ter reputação, no entanto, é muitos saberem como você é. Tem a ver com valores aos quais você está associado. Valores que emergem, inclusive, nos piores momentos". Ora, os quatro níveis de interação oferecem a possibilidade de uma organização mostrar como é; quanto maior for o nível da interação, mais proximidade existirá com os públicos e mais chances terá a organização de formar boas percepções na mente daqueles que lhe interessam.

Almeida (2017, p. 142) revela que tem observado "um movimento das empresas no sentido de procurar estabelecer relações que possam ser-lhes mais favoráveis, reconhecendo que a cadeia de relacionamentos pode não apenas influir em suas decisões, mas, muitas vezes, ser decisiva".

Essa afirmação nos ajuda a esclarecer que os quatro níveis de interação são formas gradativas de estabelecer relações com os públicos, ganhar visibilidade e conquistar a confiança. Sobre isso, a mesma autora acrescenta que

> as formas de relacionamento com os diversos *stakeholders* podem ser tão ou mais determinantes nos resultados do que as estratégias de negócios, pois são esses relacionamentos que vão determinar o grau de estima, admiração, confiança e respeito que assegura uma reputação forte. (*Ibidem*)

Para preservar imagem, reputação, Rosa (2006, p. 169) explica que "será preciso lidar com os dois lados da questão: no lado positivo, criar percepção positiva. E no lado negativo, evitar que os desgastes aconteçam, o que exige adotar um olhar de prevenção". Nesse sentido, a organização pode seguir o processo dos quatro níveis de interação tanto para criar percepção positiva quanto para prevenir problemas e crises. Almeida (2017, p. 144) acrescenta que

> há várias abordagens que indicam como a empresa deve construir e gerenciar seus relacionamentos para erigir uma reputação forte. É um processo complexo que tem como base diversas fontes de informação, as quais se consolidam em percepções cumulativas ao longo dos anos.

A abordagem que propomos neste livro é a de que as *relações* e *interações* são inerentes à existência das relações públicas e, por isso, defendemos o princípio de que a *relação* se dá, na prática, por meio das *interações* e estas resultam em *reputação*.

Sobre relação e reputação, Xifra (2011, p. 36, tradução nossa) escreve que

> a relação é o vetor da reputação. Ao mesmo tempo [...] que se estabelece o contato, instala-se o diálogo e constroem-se o enlace e o sentido. [...] A relação é uma das noções-chave das relações públicas. [...] Em termos de eficácia, obter-se-ão melhores resultados com uma boa relação do que com uma técnica medíocre. É primordial, pois, investir em uma relação de qualidade.

No entanto, para obter reputação – isto é, para chegar à causa final das relações públicas –, é necessário percorrer a causa eficiente, que é a interação. Embora cada nível tenha claro seu objetivo (informar, comunicar, gerar participação e gerar vínculo) e trabalhe em maior ou menor grau com a finalidade de ganhar visibilidade e confiança dos públicos, há uma correlação entre visibilidade, confiança e reputação, conforme discorreremos a seguir.

Ainda que a reputação de uma organização no ambiente digital esteja diretamente associada à sua visibilidade, não basta estar visível para os públicos; é necessário também conquistar a confiança dos indivíduos conectados à marca. Segundo Rosa (2006, p. 119), "sem reputação, não há confiança. E sem confiança, não há escolha. Es[t]a é a importância da reputação: ela é a ponte entre nós e a escolha dos outros". Sendo assim, o que precisamos fazer para que determinada marca seja "a escolhida" do público? Precisamos trabalhar pela forte reputação da marca. E como fazer isso? A ponte entre o cliente e a empresa é justamente a *relação*, que será erguida por meio da *interação* para conquistar os mais altos índices de *reputação*. Logo, a confiança e a visibilidade resultam dos níveis de interação, conforme vimos no Capítulo 2 (tópico "Os quatro níveis de interação", p. 39). Portanto, na linha da afirmação de Rosa de que, "sem reputação, não há confiança", defendemos a ideia de que, sem interação, não há confiança nem mesmo visibilidade. Some-se a isso que, quanto mais o cliente confia, mais ele compra, indica e se torna fiel à marca, e todos esses fatores influenciam diretamente a reputação de uma empresa. A "confiança tem muito a ver com as suas atitudes concretas e objetivas, sim, mas tem muito a ver também com a percepção dos outros em relação a elas, especialmente quando há a necessidade de interagir com públicos variados" (*ibidem*, p. 124).

Reputação: ativo intangível que tem valor de mercado

A REPUTAÇÃO É UM ATIVO intangível que vem sendo cada vez mais valorizado pelas organizações, na medida em que traz resultados para os objetivos de negócio das empresas.

Diante de um contexto de muitas mudanças, a Weber Shandwick, em parceria com a KRC Research, apresentou um balanço da reputação nos negócios em 2020. Dentre os diversos resultados da pesquisa[18], destacamos o

---

18. O estudo, denominado "The state of corporate reputation in 2020: everything matters now" ("O estado da reputação corporativa em 2020: tudo importa agora"), apresentou o resultado de entrevistas realizadas com mais de 2 mil executivos de 22 mercados ao redor do mundo. Disponível em: <https://www.webershandwick.com/news/corporate-reputation-2020-everything-matters-now>. Acesso em: 9 jan. 2021. Informações retiradas das p. 2-13 do estudo (tradução nossa).

de que a reputação foi considerada onipresente. Os fatores que influenciam a reputação de uma organização vão muito além da sua presença digital, pois englobam, entre outros fatores internos e externos à organização, a qualidade dos produtos, dos serviços, dos funcionários, do atendimento ao cliente, do CEO ou diretor-geral e das lideranças seniores; a segurança dos produtos e dos serviços; o respeito à privacidade do cliente e do funcionário; a inovação nos produtos, nos serviços e na tecnologia; o treinamento e a assistência a funcionários; o desempenho financeiro; a liderança no setor de atuação; o custo-benefício dos produtos ou serviços; a ética e os valores; a cultura corporativa; o marketing e as comunicações; a governança; a presença global; a diversidade e a inclusão no local de trabalho; as relações comunitárias; a responsabilidade ambiental; a filantropia. Além disso, a tendência recente das empresas é sair de seus parâmetros tradicionais para dar voz a questões sociopolíticas, mesmo que esses problemas não se encontrem fortemente relacionados ao negócio principal. Espera-se que as empresas apresentem não apenas desempenho financeiro, mas também uma contribuição positiva à sociedade. A respeito disso, diversas empresas se posicionaram quanto à Covid-19, doença que abala o mundo desde 2020.

O estudo mostrou que marketing e comunicação contribuem para a reputação por meio de oito fatores:

1. como uma empresa responde a quaisquer crises, questões ou problemas que enfrenta;
2. a capacidade de uma empresa de se comunicar e cumprir sua missão, visão e valores;
3. as comunicações da empresa para o público;
4. as comunicações da empresa para os funcionários;
5. os prêmios que a empresa recebeu e a participação em *rankings*;
6. a comunicação e a interação da empresa nas mídias sociais;
7. a participação dos líderes da organização em fóruns de negócio, conferências ou eventos do setor;
8. a presença de líderes da empresa em *sites* e mídia social.

Quanto à percepção dos públicos, a pesquisa indicou que, embora a concepção de todos os públicos seja importante para a reputação das organizações, os clientes, investidores e empregados são considerados os três mais relevantes. A seguir vêm os fornecedores e os parceiros; pessoas da comunidade local; governos, autoridades e órgãos reguladores; a mídia; pessoas nas mídias sociais e, por último, organizações sem fins lucrativos, grupos de defesa ou organizações não governamentais.

A reputação proporciona diversos benefícios tangíveis para as empresas. Segundo os executivos entrevistados, os três principais são fidelidade do cliente, vantagem competitiva e melhor relacionamento com fornecedores e parceiros.

A reputação é um ativo que tem impacto considerável no valor de mercado das organizações, e esse foi um dos principais resultados da pesquisa. Em média, os executivos globais atribuem à reputação 63% do valor de mercado da empresa. A contribuição desse valor varia conforme os mercados, e, dos 22 analisados, os executivos do Brasil e do México foram os que atribuíram maior percentual ao valor atribuído à reputação, com 76% e 75%, respectivamente.

A partir do momento em que compreendemos que a reputação envolve inúmeros fatores internos e externos à organização e que todos eles, em alguma circunstância, precisarão das relações de comunicação de negócio com pessoas e grupos para se efetivar, entendemos por que a reputação é consequência das interações. Os quatro níveis evolutivos de interação que propomos têm como objetivo informar, comunicar, gerar participação e gerar vínculo sobre algum fator da organização (qualidade, inovação, diversidade, valores etc.) com quem é de interesse para o negócio.

Até aqui, descrevemos por que a relação e a reputação são ativos intangíveis, expusemos a conexão entre confiança, visibilidade e reputação e apontamos por que a reputação tem valor para o mercado. No próximo tópico, mostraremos que, para alcançar resultados de negócio, é necessário criar objetivos, metas, métricas e *key performance indicators* (KPIs) voltados para a relação.

Objetivos, metas, métricas e indicadores
de *performance* da relação

DIVERSOS AUTORES ESCREVEM SOBRE OBJETIVOS, metas, métricas e indicadores, e é comum encontrarmos diferentes proposições a respeito de como descrever tais elementos na elaboração de planejamentos, planos, programas, projetos, campanhas e ações. Em função disso, apresentaremos algumas definições, formas de aplicação e exemplos voltados para as organizações que pretendem estabelecer relações de comunicação de negócio com os públicos.

Objetivos

Para realizar qualquer atividade na vida pessoal e profissional, precisamos ter motivação e clareza do que queremos. Os objetivos e as metas servem de guias para que possamos conquistar aquilo que desejamos sem nos desviarmos do caminho que escolhemos.

Kunsch (2003, p. 337) lembra que "o objetivo explicita a posição a ser alcançada no futuro e, portanto, tem a ver com os resultados desejados ou efeitos esperados com a execução de um plano ou projeto". Existem objetivos gerais e objetivos específicos. Assim, "quando se faz um planejamento global de relações públicas, estabelecem-se os objetivos a longo, médio e curto prazo, havendo para cada plano, projeto ou programa sempre objetivos e metas específicos" (*ibidem*).

Ana Maria da Fonseca (2002, p. 20), ao classificar os objetivos conforme a natureza, descreve que eles se subdividem em gerais, específicos e operacionais. O objetivo geral, considerado básico e fundamental, é amplo e expressa os valores gerais. Os objetivos específicos ou funcionais "são a decomposição do objetivo geral em áreas funcionais que determinam fins específicos pelos quais o objetivo geral pode ser alcançado". Por fim, os objetivos operacionais equivalem às metas e "se referem aos meios utilizados para alcançar o objetivo geral".

O objetivo geral também pode ser chamado de objetivo estratégico. Fabio Cipriani (2014, p. 114-15), ao tratar da estratégia em mídias sociais, divide os objetivos em estratégicos e específicos. O autor (*ibidem*, p. 113) sustenta que "os objetivos consistem no primeiro elemento dentro de uma estratégia em mídias sociais. A definição de objetivo é o primeiro passo e aquele que vai definir todos os demais elementos da estratégia". Da mesma forma que qualquer outro objetivo, Cipriani (*ibidem*, p. 116) explica que "os objetivos da estratégia em mídias sociais devem ir ao encontro dos objetivos definidos pelo planejamento estratégico da empresa, seu direcionamento estratégico, sua missão, visão e valores e, principalmente, propiciar valor para o empresário, acionista ou partes interessadas".

Para Yanaze, Freire e Senise (2013, p. 81), "objetivo é a especificação dos resultados esperados pela organização, a explicitação de aonde se pretende chegar e do que se espera alcançar por meio da comunicação". Os autores (*ibidem*, p. 82) entendem a comunicação como um processo e apresentam um modelo de categorização dos 14 possíveis objetivos de comunicação[19] de uma organização para seus diversos *stakeholders*.

Na mesma linha, Rebouças de Oliveira (2018, p. 146) conceitua objetivo como "o alvo ou situação que se pretende alcançar". O termo está relacionado com a obtenção de um fim ou resultado. O autor (*ibidem*, p. 158) explica que os objetivos podem ser estabelecidos de algumas formas e que a ideal é pelo "cruzamento de fatores externos e internos". Essa "é a abordagem estratégica dos objetivos. Para tanto é necessário que o diagnóstico estratégico da empresa seja muito bem realizado".

Xifra (2011) entende que a meta deve vir antes do objetivo. Segundo o autor, "embora os objetivos sejam a razão de ser dos projetos de relações públicas, não podemos deixar de nos referir às metas (ou finalidades) desses projetos. As metas são mais amplas e abstratas" (*ibidem*, p. 101, tradução nossa). O autor também considera que os objetivos, derivados das metas, são específicos, claros, mensuráveis, alteráveis etc., além de evidenciarem o tempo e o orçamento. A descrição de um objetivo contribui para alcançar uma meta.

---

19. Para conhecer a descrição dos 14 objetivos de comunicação, veja Yanaze, Freire e Senise (2013).

O mesmo autor (*ibidem*, p. 107, traduções nossas) explica que um objetivo de impacto é composto de três elementos: o que devemos fazer e com quem e por que essa ação é necessária para alcançar a meta do projeto. O primeiro elemento diz qual ação deve ser realizada; o segundo mostra o público, pois "um objetivo sempre inclui um público-alvo, já que nada pode ser alcançado sem alguma forma de envolvimento humano"; o terceiro explica o propósito do objetivo, "especificado como um resultado mensurável, informando ao leitor do projeto qual comportamento se espera do público-alvo como resultado da ação realizada".

Os objetivos de comunicação devem sempre responder aos objetivos estratégicos da organização. Yanaze, Freire e Senise (2013, p. 166) aclaram que a definição de objetivos e metas da comunicação deve decorrer dos objetivos e metas gerais corporativos.

Igualmente, Anderson *et al.* (2009, p. 4, tradução nossa) ressaltam que "o objetivo de todo profissional de relações públicas é ajudar sua organização a alcançar os objetivos de negócio". Para os autores (*ibidem*, p. 13), "os objetivos enfatizam fins e não meios: se algum de seus objetivos começar com palavras como distribuir ou criar, então não se tem um objetivo; tem-se partes de um plano tático". Os objetivos começam com o resultado desejado. Bons objetivos identificam saídas e resultados de negócios, em vez de tarefas, estratégias ou entregas.

Para Markus Hofrichter (2020, p. 5-7), "o termo *objetivo* diz respeito a um fim que se quer atingir. Nesse sentido, é sinônimo de 'alvo definido em metas'" e refere-se "a uma intenção, uma vontade ou um desejo". Portanto, "são realizações concretas a serem alcançadas seguindo uma determinada quantidade de passos".

Para objetivos e metas, existe ainda a definição Smart, acrônimo que, de acordo com Doran (1981, p. 36, traduções nossas), quer dizer *specific; measurable; assignable; realistic; time-related*. Nesse acrônimo, *específico* significa "ter como alvo uma área específica para melhorias"; *mensurável* refere-se a "quantificar ou pelo menos sugerir um indicador de progresso"; *atribuível* corresponde a "especificar quem fará"; *realista* remete a "afirmar quais resultados podem realmente ser alcançados, dados os recursos disponíveis"; por fim, *relacionado ao tempo* diz respeito a "especificar quando os resultados podem ser alcançados".

Esse acrônimo é utilizado por diversos autores da academia e do mercado e já teve variações na definição original. Hofrichter (2020, p. 10-14), por exemplo, propõe a seguinte tradução de Smart: *específico*: sabermos exatamente o que queremos realizar; *mensurável*: conseguirmos identificar o que podemos ver, ouvir e sentir, ou seja, desdobrarmos metas e objetivos em elementos mensuráveis; *alcançável* ou *atingível*: dispormos de tempo, recursos financeiros e talento, entre outros fatores, para conseguir realizar um objetivo; *relevante*: definirmos a razão pela qual queremos alcançar o objetivo; e *atrelado a prazos e/ou datas*: ser viável.

Tipos e finalidades dos objetivos

Para que se estabeleçam relações de comunicação de negócio com os públicos, propomos quatro tipos específicos de objetivo, com as respectivas finalidades: de informação, de comunicação, de participação e de vínculo. Cada tipo corresponde a um nível de interação, pois, como dissemos antes, a relação se dá por meio da interação. Ademais, existe uma gama de possibilidades para descrever cada um desses objetivos.

- ▸ *Objetivos de informação.* Têm a finalidade de informar ou tornar algo conhecido. A organização informa algo e não considera o diálogo com o público presente; não tenta medir o reconhecimento do outro na ação. Para ilustrar, citamos alguns exemplos dos objetivos de Yanaze, Freire e Senise (2013, p. 82-83), como despertar consciência, chamar a atenção, suscitar interesse e proporcionar conhecimento. Conforme a iniciativa, pode-se também usar conceder informação, cientificar decisões, instruir sobre algo ou instruir alguém, entre outros.
- ▸ *Objetivos de comunicação*. Têm a finalidade de informar e comunicar. A organização propõe algum tipo de interação que chama o público para a ação e almeja o reconhecimento do outro nas iniciativas realizadas.

Exemplificamos com os seguintes objetivos de comunicação de Yanaze, Freire e Senise (*ibidem*, p. 83-85): garantir identificação/empatia; criar desejo; suscitar expectativa; conseguir a preferência; levar à decisão; estabelecer interação. Além desses, pode-se usar fomentar algo; motivar para alguma coisa etc.

▶ *Objetivos de participação*. Têm a finalidade de informar, comunicar e gerar oportunidades de participação para os indivíduos. A organização cria oportunidades de diálogo que tocam alguma motivação humana real e despertam o desejo de participar, além de expor conteúdos que encontrem semelhança com o público. Como exemplos, mencionamos alguns objetivos de Yanaze, Freire e Senise (*ibidem*, p. 84-85): efetivar a ação; estabelecer interação; obter fidelidade; gerar disseminação; garantir e manter a satisfação pós-ação. Incluímos ainda gerar participação; promover engajamento; criar oportunidade etc.

▶ *Objetivos de vínculo*. Têm a finalidade de informar, comunicar, gerar oportunidades de participação e, principalmente, criar com os indivíduos vínculos a médio e longo prazo que se caracterizam como relacionamentos. A organização acredita que estabelecer relações de comunicação de negócio faz parte dos aspectos institucionais, mercadológicos e internos, bem como dos processos de vendas, entre outros. São exemplos desse tipo de objetivo: criar vínculos; construir projetos de forma colaborativa; criar iniciativas conjuntas e obter lealdade.

Acrescentamos que, embora cada tipo de objetivo apresente exemplos, é possível que, em alguns momentos, eles se mesclem também.

Como escrever objetivos específicos

Sugerimos quatro perguntas para orientar o profissional de relações públicas na escolha dos objetivos específicos de comunicação:

1. Qual é o objetivo de negócio da organização?
2. Qual é a macroestratégia da organização?

3. Qual é o objetivo geral de comunicação?
4. O que a comunicação pode fazer para que a organização atinja seu objetivo de negócio?

Portanto, para que a comunicação dê resultado, é preciso primeiro que ela esteja alinhada com os interesses da organização.

Concordamos com Xifra (2011, p. 107) no que tange especificamente às três partes que compõem um objetivo (ação, público e propósito). No entanto, propomos que primeiro se descreva o objetivo e na sequência se faça o mesmo com as metas. Assim, com base naquele autor e nas regras Smart, sugerimos que os objetivos específicos de comunicação sejam descritos com o acrônimo ARP-D, de *ação*, *relevância*, *público* e *desafio*.

▶ *Ação.* Propomos iniciar o acrônimo com a descrição da ação pelos seguintes motivos: 1) referimo-nos ao objetivo específico, ou seja, ele representa uma das necessidades do plano e faz parte de algo maior, que é o objetivo geral; 2) permite demonstrar exatamente o que a comunicação faz para beneficiar o público-alvo e contribuir com o negócio; 3) facilita a mensuração.

▶ *Relevância.* É a oportunidade de mostrar a finalidade da ação proposta, isto é, o efeito ou resultado esperado; é a resposta de por que determinada ação é importante e necessária e pode fazer diferença para a organização e o público-alvo.

▶ *Público.* É imprescindível para qualquer ação. É preciso saber a quem se destina o que se planeja e com quem se quer estabelecer relacionamento.

▶ *Desafio.* Recomendamos que o objetivo específico apresente um desafio, porém nem sempre é possível quantificá-lo. Em razão disso, usamos o hífen para demonstrar que o desafio faz parte da regra ARP, embora, em algumas situações, ele não seja mencionado. Utilizamos como referência a definição de Rebouças de Oliveira (2018, p. 146-147), segundo a qual desafio "é a quantificação, com prazos definidos, do objetivo estabelecido". A seguir, os Quadros 1 e 2 ilustram dois objetivos diferentes na regra ARP-D.

QUADRO 1 | Objetivo específico de informação (corresponde ao nível 1: interação que informa – II)

Ação	Informar quais ruas serão bloqueadas em bairros da cidade de São Paulo devido à corrida de rua X.
Relevância	Informar corretamente os moradores para que não tenham problemas com o trânsito.
Público	Moradores da cidade de São Paulo.
Objetivo específico	Informar moradores da cidade de São Paulo sobre quais ruas serão bloqueadas devido à corrida de rua X para que fiquem informados e não tenham problemas com o trânsito.
Desafio	Sete dias antes do evento, instruir moradores dos 11 bairros atingidos pela corrida.

QUADRO 2 | Objetivo de participação (corresponde ao nível 3: interação que gera participação – IGP)

Ação	Promover um concurso de desenho.
Relevância	Gerar participação e repercussão espontânea da marca, além de contribuir com as vendas da nova linha de produtos para colorir da empresa X.
Público	Pré-adolescentes.
Objetivo específico	Promover um concurso de desenho para gerar a participação de pré-adolescentes e a repercussão espontânea da marca, além de contribuir com as vendas da nova linha de produtos para colorir da empresa X.
Desafio	Promover um concurso de desenho na data x, receber 1.500 inscrições, gerar repercussão espontânea da marca e contribuir com aumento de 3% nas vendas da nova linha de produtos para colorir até a data x.

Os objetivos apresentam uma série de possibilidades de verbos para iniciar a frase. No entanto, é preciso respeitar os tipos e as finalidades dos objetivos. O Quadro 1 expõe um objetivo de informação. Já o Quadro 2 mostra um objetivo de participação que contempla a relação da comunicação com o negócio, pois a empresa vai lançar uma nova linha de produtos para colorir (ativo tangível) e o objetivo tem início com "promover um concurso de desenho", ou seja, a realização desse concurso é a contribuição da comunicação para gerar a participação de pré-adolescentes e a repercussão espontânea da marca, além de contribuir com as vendas da nova linha de

produtos. No presente capítulo, o Quadro 8 (p. 80) mostra como esses objetivos podem ser mensurados.

A diferença entre o objetivo específico e o objetivo geral de comunicação
Os objetivos específicos são fragmentações do objetivo geral; indicam necessidades parciais e demonstram as ações que é preciso realizar para cumprir o plano. O conjunto dos objetivos específicos é vital para alcançar o
resultado do objetivo geral.

O objetivo geral é mais amplo e deve abarcar os objetivos específicos. Além disso, segundo Anderson *et al.* (2009), os objetivos enfatizam
fins e não meios, começam pelo resultado desejado e mostram resultados
de negócios.

Com base nos autores descritos mais acima no tópico "Objetivos"
(p. 63), propomos que o objetivo geral de comunicação contemple não só
essas características, mas também o desafio, ou seja, a quantificação com
prazo definido. Em vista disso, o objetivo geral é o resultado quantificado
que, num prazo específico, se aspira a ter com as relações de comunicação.
Assim, a descrição deve começar pela repercussão ou pelo resultado esperado com a comunicação e finalizar pelas consequências ou impactos nos aspectos de finanças ou de negócio da organização. Na medida do possível,
devem-se quantificar tanto os resultados de comunicação como as consequências para o negócio. Propomos que o objetivo geral de comunicação
seja descrito com o acrônimo RPIT, sendo R o *resultado de comunicação*, P o
público, I o *impacto no negócio* e T o *tempo*.

▸ *Resultado*. Propomos iniciar pela descrição do resultado quantificado
que se almeja com as relações de comunicação. Como estamos diante do
objetivo geral, esse resultado esperado deve englobar todo o plano, isto é,
o conjunto dos objetivos específicos.
▸ *Público*. A definição do público no objetivo geral precisa considerar os
públicos de todas as ações. Nesse sentido, ela pode ter demarcação mais
abrangente.

▶ *Impacto*. Em função da necessidade e da importância de comprovar resultados com planos de comunicação, sugerimos incluir na descrição do objetivo geral qual será o impacto do resultado esperado de comunicação na perspectiva das finanças ou de negócio da organização.

▶ *Tempo*. É fundamental delimitar um período para a realização do objetivo geral. Da mesma forma que o objetivo geral deve ser quantificado, ele requer um tempo.

QUADRO 3 | Exemplo de objetivo geral na regra RPIT

Resultado quantificado de comunicação	Ser referência em causas sociais que envolvam tecnologia e ser reconhecida por ter realizado três iniciativas nacionais.
Público	Jovens do Brasil.
Impacto no negócio	Crescimento de 4%.
Tempo	Dois anos.
Objetivo geral	Ser referência em causas sociais que envolvam tecnologia e ser reconhecida por ter realizado três iniciativas nacionais que beneficiaram jovens do Brasil e trouxeram 4% de crescimento nos negócios em dois anos.

É importante observar que, para a empresa ser reconhecida como referência em causas sociais que envolvam tecnologia, ela precisa realizar um conjunto de iniciativas que podem ser determinadas em cada objetivo específico. Assim sendo, para exemplificar, descrevemos um objetivo específico de gerar vínculo que está atrelado ao objetivo geral do Quadro 3: construir as Diretrizes de Apoio às Causas Sociais da empresa *X* de forma colaborativa, com funcionários, clientes e fornecedores, para implementar iniciativas que beneficiem jovens no Brasil e contribuam com as políticas públicas. Portanto, uma das primeiras ações que a empresa precisa fazer para "ser referência em causas sociais..." (objetivo geral) é "construir as Diretrizes de Apoio às Causas Sociais..." (objetivo específico).

O objetivo geral pode ter a quantidade de objetivos específicos que forem necessários. No entanto, quanto mais objetivos houver, maior será o trabalho da equipe de comunicação e certamente, em consequência, maior precisará ser o orçamento.

Metas

Após a definição do objetivo geral e dos específicos, o próximo passo é definir as metas, fundamentais para mostrar resultados estratégicos.

Yanaze, Freire e Senise (2013, p. 94) aclaram que "as metas são a quantificação dos objetivos, ou seja, a tradução do que se pretende alcançar quanto a volume, valor e tempo". Para Kunsch (2003, p. 337), as metas "classificam e quantificam os objetivos no tempo e no espaço. São os resultados a serem alcançados em datas preestabelecidas". Por fim, Yanaze, Freire e Senise (*ibidem*) complementam que, "sem a definição de metas, os objetivos são vagos, demonstrando apenas uma intenção a se seguir, porém, sem parâmetros e definições claras sobre [a]onde a organização quer chegar por meio do trabalho de comunicação".

Rebouças de Oliveira (2018, p. 146-147) esclarece que, "tradicionalmente, meta empresarial pode apresentar duas definições":

1. meta é a quantificação do objetivo;
2. meta representa as etapas ou passos intermediários para alcançar os desafios e os objetivos.

O autor utiliza o segundo conceito para definir meta e denomina *desafio* o primeiro. Assim, desafio "é a quantificação, com prazos definidos, do objetivo estabelecido. E, para serem alcançados, os desafios exigem esforço extra, ou seja, pressupõem a alteração do *status quo*".

Objetivo e meta também podem ser descritos juntos. Desse modo, "objetivo é o alvo ou ponto quantificado, com prazo de realização e responsável estabelecidos, que se pretende alcançar através de esforço extra" (*ibidem*).

Da mesma forma, identificamos objetivo e meta juntos na definição de Anderson *et al.* (2009, p. 8-9). Os autores demonstram que, "para ser quantificável, tanto no conceito quanto na prática, um objetivo deve incluir respostas às seguintes questões: o quê, quem, quanto e quando" (tradução nossa).

Para Xifra (2011, p. 101-102), o profissional de relações públicas deve definir a meta logo depois de feito o diagnóstico da organização. A meta se distingue pelo uso do futuro, pois dela deriva a função de oferecer um olhar sobre a situação ou condição desejada. Desse modo, os objetivos devem tentar alcançar a meta. O autor descreve algumas regras para redigir uma meta:

1. centrar a meta em apenas um propósito;
2. descrever a meta em uma frase e evitar explicar o que precisa ser feito para alcançá-la;
3. tentar responder à seguinte pergunta: *qual será a última condição desejada como resultado da execução eficaz do projeto?*

A definição de meta de Xifra é similar à definição de desafio de Rebouças de Oliveira (2018), conforme vimos anteriormente.

Segundo Hofrichter (2020, p. 6), a meta pode ser definida como "caminho ou o passo a passo para se chegar a um objetivo. É um marco, um limite, um desafio, algo que se pode realizar, uma etapa a ser atingida dentro de um objetivo, no seu todo ou em parte". O autor acrescenta que "uma ou mais metas podem ser necessárias para se alcançar, por completo, um objetivo". Por fim, a meta engloba a quantificação do objetivo. Ela "é um objetivo 'almejado' que pode ser mensurado e claramente definido".

Como escrever as metas

Em relação ao objetivo geral, a regra RPIT (resultado + público + impacto + tempo) já considera a meta, pois o resultado de comunicação deve ser quantificado em determinado prazo.

No que tange ao objetivo específico, a regra ARP-D (ação + relevância + público + desafio) pondera o uso do desafio, porém não na mesma frase.

Isso porque o desafio é uma meta que representa a realização na íntegra do objetivo específico.

Em vista disso, usamos tanto a definição de meta de Rebouças de Oliveira (2018, p. 146-47), pois representa as etapas ou passos intermediários para alcançar os desafios e objetivos, quanto a definição de Fonseca (2002), na qual as metas equivalem aos objetivos operacionais.

Os objetivos podem conter quantas metas forem necessárias. Propomos que cada objetivo seja composto por dois tipos de meta: as *metas de ação internas* (MAIs) – aquelas que dependem do trabalho e do cumprimento de prazos da organização ou da própria equipe de comunicação – e as *metas de percepção externas* (MPEs) – aquelas em que a organização depende da percepção do público-alvo para obter resultado.

Para descrever corretamente cada um dos tipos de meta, sugerimos duas perguntas:

1. O que a equipe de comunicação precisa fazer para cumprir o objetivo e em quanto tempo? (Essa pergunta se refere às MAIs.)
2. O que desejamos de retorno de nosso público-alvo e em quanto tempo? (Essa segunda pergunta diz respeito às MPEs.)

Para que a equipe tenha clareza tanto de suas responsabilidades e prazos quanto do tamanho de seu desafio em face do público-alvo da ação, recomendamos a descrição de dois tipos de meta. As MAIs e as MPEs podem ser redigidas na mesma frase ou em frases separadas, conforme os exemplos a seguir.

Exemplos de meta

As metas descritas servem apenas para exemplificar e, por isso, não descrevem a totalidade da iniciativa. O número de metas, bem como o respectivo conteúdo, depende de um conjunto de fatores da organização, como, entre outros, o tipo de objetivo estabelecido, a verba disponível para o projeto, a quantidade de pessoas envolvidas e os prazos.

QUADRO 4 | Objetivo, desafio e metas de gerar vínculo

Objetivo: Construir as Diretrizes de Apoio às Causas Sociais da empresa *X* de forma colaborativa com funcionários, clientes e fornecedores para implementar iniciativas que beneficiem jovens no Brasil e contribuam com as políticas públicas.

Desafio: Construir as Diretrizes de Apoio às Causas Sociais da empresa *X*, com a colaboração de 180 voluntários, entre funcionários, clientes e fornecedores, até a data *y*.

Metas de ação internas (MAIs)	Metas de percepção externas (MPEs)
Enviar a 300 convidados pré-selecionados, até a data *x*, um convite em formato de vídeo.	Obter 70% de visualizações e 50% de inscrições até a data *x*.

Enviar a 300 convidados pré-selecionados, até a data *x*, um convite em formato de vídeo e obter 70% de visualizações e 50% de inscrições até a data *x*.

Organizar três encontros presenciais, nas datas *x*, *y* e *z*.	Receber 60 convidados em cada encontro.

Organizar três encontros presenciais, nas datas *x*, *y* e *z*, e receber 60 convidados em cada um deles.

Métricas e KPIs

As relações de comunicação de negócio podem ser mensuradas por meio dos quatro níveis de interação. Para isso, além dos objetivos e das metas, é necessário ter conhecimento de métricas e KPIs.

Anderson *et al.* (2009, p. 14) salientam que as relações públicas só ganharão mais estima e influência nos negócios se definirem e demonstrarem que alcançaram objetivos mensuráveis claramente alinhados com os objetivos da organização. Sendo assim, o que ajuda na mensuração desses objetivos é o conjunto de métricas e KPIs estipulados.

Monteiro e Azarite (2012, p. 93) esclarecem que métricas e KPIs são "indicadores que ajudam a entender os objetivos de negócio e se eles estão sendo atingidos".

Métricas

Já dissemos que as metas são objetivos quantificáveis. Portanto, podemos mensurar os objetivos e as metas da organização. De acordo com Yanaze, Freire e Senise (2013, p. 94), "para definir metas mais adequadamente e compreendermos mensuração em comunicação, é preciso ter clareza teórica sobre métricas".

A palavra *métrica* encontra significação nos âmbitos da literatura e da geometria. Conforme o dicionário *Houaiss*[20], é, na primeira acepção, "o conjunto das regras que presidem a medida, o ritmo e a organização do verso, da estrofe e do poema como um todo; metrificação, versificação"; na terceira, "forma diferencial que define, em um espaço, a distância entre dois pontos infinitesimalmente próximos".

Na interpretação de Farris *et al.* (2012, p. 1), métrica é um sistema de mensuração que quantifica diferentes tipos de fenômeno. De acordo com os autores,

> em virtualmente todas as disciplinas, os praticantes usam métricas para explicar fenômenos, diagnosticar causas, compartilhar descobertas e projetar os resultados de eventos futuros. No mundo da ciência, dos negócios e do governo, as métricas estimulam o rigor e a objetividade. Elas tornam possível comparar observações entre regiões e períodos de tempo, além de facilitar a compreensão e a colaboração.

O primeiro passo para descrever uma métrica é ter clareza da diferença entre dados, tipos de dado, informação e conhecimento, já que, segundo Monteiro e Azarite (2012, p. 96-98), métricas são dados transformados em conhecimento. Resumiremos aqui a explicação dos mesmos autores.

▸ *Dados* têm a função de descrever um fato, uma realidade isolada. É a forma mais bruta de fazer alguma observação. Exemplo: a marca *X* recebeu 300 menções em uma semana.

▸ *Informação* é a análise de vários fatos. Não é um dado isolado, pois contém um conjunto de dados que consegue expressar algum significado. Exemplo: a marca *X* recebeu 300 menções em uma semana (dado 1); na

---

20. "Métrica". In: *Grande dicionário Houaiss (online), op. cit.*

semana seguinte, o número de menções subiu para 600 (dado 2); essa alteração se deveu à campanha promocional realizada na mesma semana (dado 3).

▸ *Conhecimento* é a aplicação de um filtro de intencionalidade à informação, ou seja, ao conjunto de dados obtidos. Exemplo: a informação de que a marca *X* dobrou o número de menções em decorrência da campanha promocional mostra ao gerente de comunicação que 78% das menções eram positivas, das quais 40% indicavam intenção de compra.

A Figura 8 ilustra quando se trata de dados e de métricas.

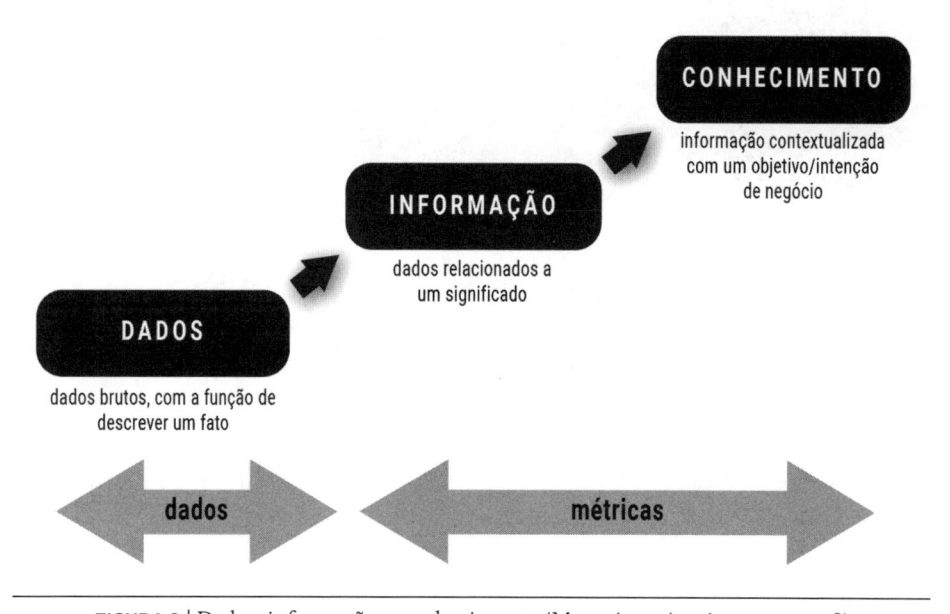

FIGURA 8 | Dados, informação e conhecimento (Monteiro e Azarite, 2012, p. 98)

Monteiro e Azarite (*ibidem*, p. 96) listam oito tipos de dado "que permitem a construção de métricas de mídias sociais". O Quadro 5 mostra cada um dos tipos, sua definição e exemplo.

Embora os oito tipos de dado tenham sido descritos para plataformas digitais, eles podem ser adaptados também para o ambiente físico.

Monteiro e Azarite (*ibidem*, p. 97) reforçam que "é preciso tomar cuidado para não confundir um dado de mídias sociais com uma métrica".

QUADRO 5 | Tipos de dado de mídias sociais (Monteiro e Azarite, 2012, p. 96)

	definição	exemplo
1. opinião	juízo/opinião sobre algo	sentimento positivo, neutro, negativo, gostei, não gostei, recomendação...
2. relacional	a capacidade de ser visto e o poder de influência	compartilhamento de conteúdos e informações...
3. público	perfil de quem está interagindo/mencionando	influenciador, consumidor, público...
4. demográfico	identidade dos indivíduos	sexo, idade, localização...
5. audiência	alcance da menção identificada	seguidores, impressões de anúncio, cliques, tempo de acesso...
6. participação	qual parcela da audiência interagiu com o conteúdo monitorado	comentários, mensagens, respostas, compartilhamentos...
7. transacional	relacionado a compra e venda	produtos comprados, taxa de recompra...
8. navegação	trajetórias e usos do acesso a sítes	fonte de acessos, páginas visitadas, taxa de rejeição...

Qualquer um dos oito tipos de dado mencionados no Quadro 5, "se acompanhados de forma isolada, geram uma visão distorcida e pouco estratégica de uma marca nas mídias sociais".

Yanaze, Freire e Senise (2013, p. 95) alertam que, "naturalmente, nenhuma métrica é perfeita. Por isso, a recomendação é que haja um 'painel' com uma série de métricas que possam ser relacionadas entre si, tendo papéis complementares".

Os mesmos autores (*ibidem*, p. 160) propõem métricas de eficiência, eficácia e efetividade das ações de comunicação. O Quadro 6 ilustra as três métricas.

Cipriani (2014, p. 114-115) expõe que, ao definir objetivos, a "empresa deve se preocupar com quão mensuráveis eles são, pois se deve conseguir mensurar o sucesso ou fracasso de um objetivo com métricas vindas das mídias sociais". O Quadro 7 mostra alguns exemplos de métricas com base no objetivo estratégico e nos objetivos específicos.

QUADRO 6 | Métricas de avaliação e mensuração (Yanaze, Freire e Senise, 2013, p. 160)

1. MÉTRICAS DE EFICIÊNCIA	▸ Aderência aos objetivos de comunicação da empresa. ▸ Compatibilidade com os objetivos específicos da ação previamente estabelecidos. ▸ Qualidade do conteúdo da mensagem. ▸ Qualidade da forma de apresentação. ▸ Adequação dos meios utilizados. ▸ Qualidade e adequação da execução. ▸ Cumprimento das etapas e prazos; utilização correta dos recursos, de acordo com o previsto. ▸ Outras.
2. MÉTRICAS DE EFICÁCIA	▸ Quantidade de pessoas/públicos atingidos. ▸ Adequação das pessoas/públicos atingidos. ▸ Resultados da pesquisa de *recall*. ▸ Medição dos *shares: of voice, of mind, of heart, of power, of market* etc. ▸ Avaliação e mensuração de moedas não financeiras relacionadas. ▸ Avaliação e mensuração de moedas financeiras relacionadas. ▸ Apuração dos índices econômicos, financeiros e patrimoniais. ▸ Outras.
3. MÉTRICAS DE EFETIVIDADE	▸ Índice de continuidade da ação e comparativo dos resultados ao longo do tempo. ▸ Pertinência em termos de tempo de exposição, integração e sinergia com outras ações de comunicação. ▸ Grau de progressão ao longo do processo sistêmico de comunicação (14 objetivos). ▸ Outras.

QUADRO 7 | Métricas de mídias sociais com base em objetivos (Cipriani, 2014, p. 115)

Objetivo estratégico	Objetivos específicos	Exemplos de métrica
Percepção da marca	Aumentar a reputação da marca.	Reações positivas *versus* negativas.
	Ampliar a percepção da marca.	Índice de reconhecimento da marca (mesmo em estados onde a empresa não atua).
	Criar vantagem competitiva.	Número de vezes que a marca é citada nas mídias sociais em detrimento dos competidores.

Como descrever as métricas

É preciso ter clareza de que as métricas servem para mensurar os objetivos e as metas, isto é, para acompanhar o andamento do que foi planejado e saber o seu resultado. O uso de métricas atribui valor e credibilidade à comunicação.

Assim, verifique primeiro qual é o objetivo, depois confira as metas e, por fim, estipule quais serão as métricas para cada objetivo e/ou meta. Não há um número mínimo para as métricas; o importante é descrever métricas que sejam complementares e estejam em sintonia com os objetivos e as metas de cada organização, programa, projeto, campanha ou ação.

Métricas para os quatro níveis de interação

Quanto aos quatro níveis de interação, é importante que cada um tenha as respectivas métricas relacionadas aos objetivos específicos de cada ação. O Quadro 8 mostra alguns exemplos de métrica para cada nível de interação e tipo de objetivo.

No Quadro 8, verifica-se que o nível 1 apresenta métricas que retratam o esforço da organização, pois nesse nível, num primeiro momento, não há interesse no retorno do público. Já os níveis 2, 3 e 4 abrangem métricas para medir sua reação.

As métricas servem para mensurar a totalidade de uma ação. Sendo assim, elas mensuram o objetivo específico, mas principalmente medem se as metas MAI e MPE são executadas no período estipulado. Além disso, as métricas são definidas para acompanhar o andamento e o resultado de uma ação.

Para ser mais assertivo em relação ao sucesso dos objetivos, é fundamental analisar um conjunto de métricas, não uma métrica ou um dado isolado. Da mesma forma, deve-se levar em consideração o contexto da organização e associar os dados desse contexto às métricas (veja exemplos de contexto no tópico "*Key performance indicators* (KPIs)", p. 83).

Por fim, independentemente do nível de interação, o gestor de comunicação pode criar muitas outras métricas para medir se as metas e os objetivos de sua ação são atingidos no período estipulado.

QUADRO 8 | Métricas para cada nível de interação e tipo de objetivo

Nível de interação	Tipo de objetivo	O que mensurar	Exemplos de métrica
Nível 1: interação que informa (II)	Objetivo de informação	• Dados quantitativos. • Foco nas metas de ação internas (MAI).	• Quantidade de publicações, *lives*, *posts*, vídeos etc. produzidos e publicados pela organização. • Métricas de eficiência (veja o Quadro 6).
Nível 2: interação que comunica (IC)	Objetivo de comunicação	• Dados qualitativos e, principalmente, quantitativos. • Metas de ação internas (MAI) e metas de percepção externas (MPE).	Além das métricas do nível 1, este nível de interação abrange: • Quantidade de perguntas, menções, comentários, compartilhamentos, cliques, *downloads*, recomendações, visualizações etc. recebidos. • Métricas de negócios (número de produtos ou serviços vendidos; quantidade de recomendações; reclamações; *leads* etc.). • Métricas de eficácia (veja o Quadro 6). • Métricas de opinião, audiência, participação etc. (veja o Quadro 5).
Nível 3: interação que gera participação (IGP)	Objetivo de gerar participação	• Dados quantitativos e, principalmente, qualitativos. • Metas de ação internas (MAI) e metas de percepção externas (MPE).	Além das métricas dos níveis 1 e 2, este nível de interação abrange: • Conteúdo de perguntas, menções, comentários etc. • Perfil de voluntários, simpatizantes da marca, detratores, ativistas etc. • Métricas de efetividade (veja o Quadro 6).
Nível 4: interação que gera vínculo (IGV)	Objetivo de gerar vínculo	• Igual ao nível anterior.	Além das métricas dos níveis 1, 2 e 3, este nível de interação abrange, entre outros: • Grau de envolvimento e participação de voluntários. • Impacto do resultado do processo colaborativo. • Variedade de capital intelectual.

Métricas para a reputação

A reputação é um ativo intangível que precisa ser mensurado para comprovar que traz resultados para a organização. Diante dessa necessidade, diversas métricas *online* e *offline* podem ajudar.

Cíntia Carvalho e Sandra Montardo discorrem sobre reputação como contexto para o estudo de monitoramento e métricas em ambientes *online* e *offline*. Segundo as autoras (2012, p. 26), "pode-se dizer que é possível engajar clientes tanto no ambiente *offline* quanto no *online*, havendo a necessidade de métricas diferentes para mensurar esse objetivo nesses ambientes". Em pesquisa realizada sobre o tema[21], CEOs e líderes também apontaram algumas métricas para mensurar a reputação na organização. No Quadro 9 (p. 83), listamos exemplos de onde a reputação pode ser mensurada, bem como algumas métricas.

KPIs

Além das métricas, existem os principais indicadores de *performance* (*key performance indicators*), ou KPIs, sigla usada comumente por estudiosos da academia e do mercado. Moura e Oliveira (2019, p. 9) apontam que, "embora intimamente ligados, métricas e KPIs precisam ser diferenciados". Assim, as autoras explicam que

> as métricas são dados brutos que podem ser coletados em ferramentas como Facebook Insights, Google Analytics, Scup ou outros *softwares* de monitoramento e mensuração. Os KPIs, por sua vez, são indicadores definidos pelos gestores para acompanhar o desempenho das métricas associadas ao objetivo do negócio como um todo.

Para Estêvão Soares (2012, p. 147), a diferença entre métricas e KPIs "está no fato de que os KPIs afetam diretamente o objetivo estabelecido[;] portanto, se você não tem um objetivo claro, seus KPIs também não serão claros e você será incapaz de medir o seu ROI[22] com sucesso".

Embora os indicadores estejam bastante associados às métricas, existe correspondência entre objetivos, metas, métricas e indicadores.

---

21. "The state of corporate reputation in 2020: everything matters now", *op. cit.*
22. Em inglês, acrônimo de *return on investment* (retorno sobre o investimento).

QUADRO 9 | Métricas de reputação *online* e *offline*

Métricas *online* para medir a reputação

Sites de redes sociais e plataformas digitais em geral. Exemplos:
• Métricas de opinião, relacionais e de participação (veja o Quadro 5).
• Métricas de audiência e navegação (veja o Quadro 5).
• Reações positivas *versus* negativas (veja o Quadro 7).
• Índice de reconhecimento da marca.
• Número de vezes que a marca é citada nas mídias sociais em detrimento dos concorrentes.
• Índice de *share of voice* (veja a Figura 9).
• Índice de sentimentos (veja a Figura 11).
• Índice de imagem da marca (veja a Figura 12).

Portais de notícias, sites especializados e sites da imprensa em geral. Exemplos:
• Quantidade de notícias positivas e negativas.
• Tipo de conteúdo.
• Perfil do portal e/ou *site*.

Plataformas de vendas online. Exemplos:
• Métricas de negócios (número de produtos ou serviços vendidos, quantidade de recomendações, reclamações, *leads* etc.).
• Métricas transacionais (veja o Quadro 5).

Métricas *offline* para medir a reputação

Prêmios e rankings. Exemplos:
• Participação, menção, posição e classificação.

Iniciativas diversas em ambientes físicos. Exemplos:
• Reações positivas *versus* negativas.
• Métricas de satisfação e participação.
• Índice de sentimentos durante as iniciativas.

Balanços de responsabilidade social. Exemplos:
• Quantidade de iniciativas realizadas.
• Resultados atingidos.
• Quantidade de pessoas beneficiadas.

Parcerias governamentais. Exemplos:
• Quantidade de parcerias e seus tipos.
• Quantidade de pessoas beneficiadas.

Vendas em ambientes físicos. Exemplos:
• Métricas de negócios (número de produtos ou serviços vendidos, quantidade de novos clientes etc.).

Imprensa. Exemplos:
• Quantidade de notícias positivas e negativas.
• Tipo de conteúdo.
• Perfil do veículo.

Elaborado pela autora com base em Carvalho e Montardo (2012), Cipriani (2014) e pesquisa "The state of corporate reputation in 2020: everything matters now" (*op. cit.*).

Segundo Moura e Oliveira (2019, p. 6-10), os indicadores oferecem contexto à métrica e trazem consigo uma meta que visa, em última instância, alcançar o objetivo definido no início do processo. Na mesma linha, Soares (2012, p. 147) afirma:

> Sempre utilize as métricas com base em contexto. Assim como outros números, se uma métrica for analisada de forma individual, será de pouco proveito.
>
> Tente extrair o máximo de um conjunto de dados que signifique algo para você e para o contexto em que você está inserido.

Com base em Monteiro e Azarite (2012, p. 93), descreveremos um exemplo similar ao dos autores recém-citados sobre a importância dos dados em contexto. Para atender a um objetivo da área institucional de aumentar em $x\%$ o índice de imagem da marca, podem ser escolhidos como KPIs a quantidade de menções positivas da marca e a quantidade de menções negativas. Perceba que nenhum desses dois indicadores considera a influência das pessoas que fizeram os comentários, ou seja, o impacto que suas menções à marca podem ter. Dependendo da análise, é fundamental saber se os elogios ou críticas partem de influenciadores, celebridades, simpatizantes da marca ou pessoas comuns, pois, dependendo de quem comenta, a influência pode ser maior ou menor. Assim, a métrica de contexto nesse exemplo é a quantidade de pessoas influentes que fizeram comentários positivos e negativos. Segundo os mesmos autores, a métrica de contexto "pode não ser acompanhada no dia a dia e nas apresentações, mas pode ser consultada para dar uma visão melhor do que está acontecendo".

No que se refere à definição dos indicadores diante das métricas estabelecidas, Moura e Oliveira (2019, p. 19) lembram que

> o KPI é uma métrica ou conjunto de métricas que está diretamente relacionad[o] com o sucesso da ação que estamos mensurando e deve estar associado a uma tomada de decisão. Dessa maneira, ele é frequentemente

composto por índices, comparativos, faixas de valores, *benchmarks*, podendo ser calculado a partir das métricas fornecidas.

A relação entre métricas e indicadores é resumida pelas autoras (*ibidem*, p. 11) da seguinte maneira: "enquanto as métricas trazem dados brutos e isolados, os KPIs dão uma noção de cenário às métricas, sendo: determinados a partir dos objetivos; calculados através das métricas, associados a uma meta; dirigidos a uma tomada de decisão".

De acordo com Monteiro e Azarite (2012, p. 92), os KPIs são chamados de indicadores de negócio (métricas com um significado de negócio) e representam as necessidades estratégicas da empresa: "Dificilmente cada objetivo de negócio tem mais de três KPIs". Para escolher os KPIs, os autores (*ibidem*, p. 94) utilizam o seguinte critério: "Qual métrica vai gerar o máximo de valor para o objetivo de negócios estabelecido?"

Há muitas discussões sobre quando usar KPIs, mas, como eles são indicadores que determinam o sucesso de um objetivo, devemos usá-los tanto para objetivos voltados para ações no ambiente digital quanto para objetivos no ambiente físico. Monteiro e Azarite (*ibidem*, p. 118) esclarecem que, quando estamos diante de um processo em que a ação e o impacto nas vendas são próximos e tangíveis, é muito recomendável usar o ROI. "No entanto, se a ação fortalece mais o relacionamento e acaba impactando nas vendas de forma mais intangível, deve-se pensar mais em KPIs importantes para o negócio, porque pelo ROI é difícil medir essa iniciativa."

Como descrever os KPIs

Para definir KPIs, é necessário ter estipulado antes uma lista de métricas que possam ser relacionadas entre si em prol de determinado objetivo e/ou metas. O KPI é uma métrica ou um conjunto de métricas, e trata-se das métricas mais importantes para definir o sucesso do objetivo e a conquista do desafio da ação. Se o uso de métricas traz valor e credibilidade para a comunicação, a definição de KPIs mostra o resultado do objetivo e a *performance* do desafio.

Exemplo: se você descreveu dez métricas para medir seu objetivo e suas metas, selecione as duas ou três mais relevantes em relação ao objetivo e ao desafio para serem seus KPIs, ou seja, seus indicadores de sucesso. Para saber quais você deve escolher, sugerimos duas perguntas, sendo a primeira similar ao critério indicado por Monteiro e Azarite (2012):

1. Qual métrica vai gerar o máximo de valor para o objetivo?
2. Quais métricas proporcionam o melhor resultado para o desafio?

Observe que as perguntas se referem apenas ao objetivo e ao desafio, não às metas, pois estas operacionalizam o objetivo, e aqui o intuito é entregar o resultado final desejado.

Os KPIs também podem ser compostos por índices (veja o tópico "Índices", p. 88) comparativos com ações anteriores, com a concorrência e/ou com *benchmarks*, isto é, com aquelas empresas que também já tiveram êxito em projetos similares.

Além disso, o KPI pode conter métricas de contexto, como mencionamos pouco antes, neste tópico sobre KPIs.

Diante do exposto, para cada nível de interação, podemos estabelecer quantas métricas forem necessárias. Desse conjunto de métricas, porém, é importante sabermos quais serão nossos KPIs. Portanto, esses indicadores contemplam as próprias métricas e podem considerar ainda índices e métricas de contexto. O Quadro 10 ilustra um exemplo com o objetivo de gerar participação.

O Quadro 10 apresenta um objetivo com o desafio respectivo e três metas que o operacionalizam com quantidade e prazos definidos. Para cada meta se estipularam métricas, pois estas mensuram se as metas estão sendo ou não atingidas no período estipulado. No total, descreveram-se 22 métricas, das quais foram escolhidas cinco para ser os KPIs. Como o objetivo do exemplo é do nível 3 – gerar participação –, há necessidade de um esforço maior da organização para envolver os públicos e levá-los a participar. Nesse sentido, ainda haveria outras metas a incluir.

QUADRO 10 | Como definir indicadores de desempenho (KPIs)

Objetivo e desafio	Metas	Métricas	KPIs
Objetivo Promover um concurso de desenho para gerar a participação de pré-adolescentes e a repercussão espontânea da marca, além de contribuir com as vendas da nova linha de produtos para colorir da empresa X. **Desafio** Promover um concurso de desenho na data *x*, receber 1.500 inscrições, gerar repercussão espontânea da marca e contribuir com aumento de 3% nas vendas da nova linha de produtos para colorir até a data *y*.	Contratar três influenciadores para divulgar o concurso até o mês *x* e obter o cumprimento de todas as cláusulas até a data *y*. Publicar um vídeo na plataforma *X*, no mês *y*, chamando para participação no concurso, e receber mais de *x* visualizações, *x* compartilhamentos, *x* comentários positivos e *x* inscrições em uma semana. Realizar quatro *workshops* presenciais um mês antes do concurso e receber 150 pré--adolescentes em cada um.	*Métricas de eficiência* 1. Quantidade de influenciadores contratados *Métricas de negócio* 2. Número de cláusulas cumpridas *Métricas de opinião* 3. Índice de sentimentos 4. Conteúdo de cada reação (sentimento) 5. Índice de imagem da marca 6. Conteúdo de cada reação (marca) *Métricas de participação* 7. Quantidade de compartilhamentos 8. Quantidade de comentários positivos, negativos e neutros 9. Conteúdo de cada comentário 10. Número de inscritos *Métricas de audiência* 11. Aumento do número de seguidores 12. Quantidade de visualizações *Métricas de negócio* 13. Quantidade de recomendações do produto 14. Conteúdo de cada recomendação 15. Número de produtos vendidos após o concurso 16. Número de reclamações do produto *Métricas de público* 17. Perfil dos inscritos *Métrica demográfica* 18. Idade e localização dos inscritos *Métricas de participação* 19. Número de pré-adolescentes que participaram de cada *workshop* *Métricas de opinião* 20. Nível de satisfação 21. Índice de sentimentos durante os encontros *Métricas de público* 22. Perfil dos participantes	5. Índice de imagem da marca 7. Quantidade de compartilhamentos 10. Número de inscritos 11. Aumento do número de seguidores 15. Número de produtos vendidos após o concurso

Ao fazermos o exercício de responder *qual métrica vai gerar o máximo de valor para o objetivo* e *quais métricas proporcionam o melhor resultado para o desafio*, concluímos que seriam as métricas 5, 7, 10, 11 e 15, já que elas indicam justamente a *performance* do desafio e o sucesso do objetivo.

Logo, podemos e devemos buscar nas áreas responsáveis o resultado de vendas antes, durante e após o término de um projeto, pois esse resultado é um indicador essencial para comprovar que os objetivos que visam às *relações de comunicação de negócio* com os públicos impactam nas vendas. Além disso, o aumento das vendas de produtos e serviços pode não ser uma das métricas, mas certamente faz parte do contexto, como mostramos mais acima, também neste tópico sobre KPIs.

Para finalizar, podemos dizer que todas as 22 métricas propostas são fundamentais para medir se as metas estão sendo atingidas e o desafio, superado. Entretanto, é preciso saber responder, de forma objetiva, qual foi o resultado do projeto ou ação. Assim, diante do Quadro 10, qual seria a melhor resposta para seu chefe ou cliente? A resposta a seguir baseia-se num projeto que deu certo.

Diante do objetivo, recebemos 4.678 inscrições ante as 1.500 esperadas. A repercussão foi de mais de 2 mil compartilhamentos e 3 mil seguidores na plataforma *X* e aumento de 14% no índice de imagem da marca no período. O produto teve crescimento de 4% nas vendas.

Portanto, para responder de forma objetiva sobre o sucesso do objetivo e a *performance* do desafio, utilize os indicadores selecionados.

Índices

As métricas também podem ser usadas como índice. As recomendações do estudo realizado pela Web Analytics Demystified e pelo Altimeter Group[23] para medir resultados em mídias sociais digitais abrangem uma lista de índices baseados em objetivos específicos de negócios e em métricas.

---

23. Jeremiah Owyang e John Lovett (orgs.), *Social marketing analytics: a new framework for measuring results in social media*. Disponível em: <https://pt.slideshare.net/jeremiah_owyang/altimeter-report-social-marketing-analytics>. Acesso em: 10 fev. 2021.

O gestor de comunicação pode definir a quantidade de métricas que considerar importante. No entanto, é fundamental analisar o conjunto dos dados obtidos para alcançar melhores resultados, e deve-se fazer isso com base nos objetivos que foram definidos. O estudo esclarece que desenvolver uma lista de métricas e apresentar uma planilha cheia de dados não proporciona uma base para o cliente tomar decisões lógicas de negócios[24]. Os índices ajudam por reunir um conjunto de métricas.

Segundo Monteiro e Azarite (2012, p. 99), "há diversos índices criados por instituições e autores que podem ser adotados, mas o ideal é estabelecer índices próprios ou adaptar os existentes de acordo com os objetivos de negócio". Desse modo, mostraremos alguns dos índices existentes que estão mais próximos das organizações que têm interesse em se relacionar com os públicos.

Share of voice

É um índice de inteligência competitiva que mede a porcentagem de conversações de uma marca em comparação com as concorrentes em determinado período. De acordo com o estudo da Web Analytics Demystified e do Altimeter Group[25], esse índice pode ser representado da seguinte forma:

$$\text{SHARE OF VOICE} = \frac{\text{Total de menções da marca (exemplo: 1.500)}}{\text{Total de menções da marca } (1.500) + \text{ concorrente A } (3.000) + \text{ concorrente B... } (1.000)} \times 100$$

FIGURA 9 | Índice de *share of voice* (adaptado do estudo realizado pela Web Analytics Demystified e pelo Altimeter Group[26])

Portanto, de acordo com a Figura 9, podemos dizer que a marca está com 27% de *share of voice* em comparação com seus concorrentes.

24. *Ibidem*. Informações disponíveis na p. 9 do estudo.
25. *Ibidem*. Informações disponíveis na p. 13 do estudo.
26. *Ibidem*.

Simpatizantes ativos da marca

Índice que mede a porcentagem de pessoas consideradas embaixadoras de uma marca, produto ou serviço e ativas em dado período. Simpatizantes são aqueles que têm significativa afinidade com uma marca e a defendem e elogiam voluntariamente. Segundo o estudo da Web Analytics Demystified e do Altimeter Group[27], inclui-se entre os simpatizantes ativos o número de indivíduos que geram sentimentos positivos em determinado período (por exemplo, 30 dias). As organizações podem e devem planejar ações com esses indivíduos para ampliar seu alcance nas mídias sociais digitais. Exemplo:

$$\text{SIMPATIZANTES ATIVOS DA MARCA} = \frac{\text{Total de indivíduos ativos no período de 30 dias (exemplo: 8)}}{\text{Total de simpatizantes da marca (20)}} \times 100$$

FIGURA 10 | Índice de simpatizantes ativos da marca (adaptado do estudo realizado pela Web Analytics Demystified e pelo Altimeter Group[28])

Para saber quantos simpatizantes estão ativos nos últimos 30 dias, a empresa precisa saber quantos deles existem no total. A Figura 10 mostra que a empresa, do total de seus 20 simpatizantes, pode estar com oito indivíduos ativos nos últimos 30 dias. Desse modo, dividindo 8 por 20, temos 0,4 – que, multiplicado por 100, resulta em 40. Portanto, a empresa tem 40% de simpatizantes ativos nos últimos 30 dias.

Índice de sentimentos

Índice que mede o percentual de comentários positivos, negativos ou neutros em relação ao total de menções. A Figura 11 ilustra o exemplo com menções positivas.

27. *Ibidem*. Informações disponíveis nas p. 14-16 do estudo.
28 *Ibidem*. Informações disponíveis na p. 16 do estudo.

$$\text{ÍNDICE DE SENTIMENTOS} = \frac{\text{Total de menções positivas (exemplo: 178)}}{\text{Total de menções positivas (178)} + \text{negativas (43)} + \text{neutras (19)}} \times 100$$

FIGURA 11 | Índice de sentimentos (adaptado do estudo realizado pela Web Analytics Demystified e pelo Altimeter Group[29])

Assim, de acordo com a Figura 11, podemos dizer que há 74% de menções positivas no total de menções da marca no período analisado. O mesmo cálculo pode ser feito com as menções negativas e neutras.

Imagem da marca

Veja a seguir um exemplo desse índice, que, de acordo com Monteiro e Azarite (2012, p. 100), "serve para dar um número consolidado de como a marca está nas mídias sociais".

$$\text{IMAGEM DA MARCA} = \frac{\text{Total de menções positivas (exemplo: 500)} + \text{neutras (70)} - \text{negativas (1.200)}}{\text{Total de menções da marca (1.770)}} \times 100$$

FIGURA 12 | Índice de imagem da marca (adaptado de Monteiro e Azarite, 2012, p. 100)

Portanto, de acordo com a Figura 12, podemos dizer que a imagem da marca não está boa, já que o resultado é negativo (–35%), indicando que a quantidade de menções negativas é significativamente maior que a de menções positivas e neutras.

Mensuração, monitoramento e métricas

A MENSURAÇÃO É REALIZADA tanto para acompanhar o andamento das ações quanto para avaliar os resultados em ambientes *online*, físicos e híbridos.

---

29. *Ibidem.* Informações disponíveis na p. 23 do estudo.

Mensurar é medir e, para medir, criam-se as métricas. No tópico "Métricas" (p. 75), listamos uma série delas para cada um dos níveis de interação e sugerimos algumas para reputação. Segundo Mitsuru Yanaze (2013, p. 69), "pensar em mensuração de comunicação significa entender e medir os efeitos que qualquer tipo de comunicação tem sobre seus diferentes públicos".

O monitoramento é um método muito usado no ambiente *online*. Tarcízio Silva (2012, p. 43) define o monitoramento de mídias sociais como "o ato de transformar dados em conhecimento", o que equivale à definição de métricas de Monteiro e Azarite (2012, p. 96-98). Sendo assim, o que precisamos compreender é que tanto o monitoramento quanto as métricas são conceitos que, na prática, usamos em conjunto. Por exemplo, ao estipular a métrica quantidade de menções positivas da marca, há interesse em saber quantas menções foram positivas no total das menções em determinado período. Desse modo, o monitoramento é o método escolhido para encontrar esses dados que foram delimitados pela definição do tipo de métrica. Caso não houvesse sido estipulada a métrica, o que teria sido monitorado em face da imensidão de dados na rede? As métricas, por conseguinte, ajudam a conduzir o trabalho de monitoramento.

O monitoramento pode ser feito antes, durante e depois das ações. Silva (2012, p. 43) cita a fase de pesquisa e planejamento como exemplo de momento anterior à ação. Diz ele: "Seleção de mídias, identificação de temas de interesse, filtragem de influenciadores, rastreamento das ações dos concorrentes e outras aplicações possíveis nesse período permitem a atuação mais pensada e confiante".

Segundo o autor (*ibidem*, p. 44), a manifestação mais comum durante as ações é por meio do SAC. O monitoramento possibilita "identificar consumidores insatisfeitos ou com dúvidas, e [responder a eles] de forma rápida salva dores de cabeça e mantém a clientela". Além disso, é possível monitorar oportunidades de negócio, entre outras manifestações dos públicos.

Já depois da realização das ações, Silva (*ibidem*, p. 44) esclarece que o monitoramento serve como "apoio da avaliação e mensuração". É nesse momento que verificamos se os objetivos foram alcançados e se as estratégias estavam realmente adequadas.

O monitoramento é importante também para a própria gestão da comunicação, pois ajuda "na produção de conteúdo, otimização para buscas e relacionamento contínuo e veloz, em espaços temporais próprios do mundo conectado" (Silva, 2012, p. 44).

Na maior parte das vezes, o monitoramento é uma etapa básica para dar apoio a qualquer planejamento, porque é muito difícil dissociar do ambiente digital determinada marca. No entanto, é possível utilizar o monitoramento também em outros ambientes, já que a organização conta com outras formas de relacionamento que se dão longe das plataformas digitais. Ademais, existem diferentes métodos e técnicas que podem ser aplicados.

Cíntia Carvalho e Sandra Montardo (2012, p. 30-31) consideram que a prática do monitoramento

> tem relevância acadêmica renovada desde que percebida como um conjunto de técnicas voltadas para acompanhar e avaliar o que as pessoas dizem nas mídias sociais, devendo englobar ainda a atuação da imprensa a respeito das organizações, assim como o levantamento das impressões que os variados públicos destas têm a seu respeito. [...] Assim, entender a reputação de forma ampla pressupõe o uso de técnicas de monitoramento *offline* e *online*.

A reputação é apenas um exemplo de ativo intangível que pode ser monitorado nos ambientes *offline* e *online*. Destacamos que, independentemente do que e do ambiente que será monitorado, a definição do objetivo de monitoramento será fundamental. Diante das inúmeras informações disponíveis, é preciso saber o que se deseja encontrar. Soma-se ao objetivo a necessidade de estipular um período determinado para o monitoramento, que pode variar de acordo com o tipo de projeto.

4. Os ativos intangíveis no sistema gerencial estratégico

Neste capítulo mostraremos que as relações de comunicação de negócio podem agregar valor para os clientes. Abordaremos também a necessidade de alinhar a estratégia de comunicação com a estratégia da organização. Ao final do capítulo, será possível constatar que, atualmente, investir em ativos intangíveis ocupa papel central em qualquer tipo de negócio, porque possibilita não só retorno de reputação como também valor de mercado para a organização.

Valéria Lopes (2018, p. 597) destaca que o desafio que se apresenta ao campo das relações públicas reside em mensurar o valor econômico dessa atividade. Segundo a autora,

> a manutenção da função estratégica da área depende do desenvolvimento de mecanismos de mensuração capazes de lidar com resultados até então considerados intangíveis e difíceis de ser valorados. Por este motivo, a mensuração e valoração de resultados em relações públicas é um tema atual e de interesse para o campo.

Como primeiro passo para estabelecer o valor econômico dos programas e ações de relações públicas, Lopes (*ibidem*, p. 601) sugere ainda "a identificação dos fatores intangíveis geridos pela área de relações públicas e o mapeamento da rede de interferência nos ativos intangíveis" e considera o

> *balanced scorecard* um modelo de gestão que pode auxiliar os profissionais nesta tarefa, uma vez que permite às áreas da organização identificarem o

efeito de seu desempenho no sucesso do negócio e sua interdependência com outras áreas e seus respectivos objetivos.

De acordo com Robert Kaplan e David Norton (1997, p. 24), "o *balanced scorecard* é, para os executivos, uma ferramenta completa que traduz a visão e a estratégia da empresa num conjunto coerente de medidas de desempenho".

Uma das atribuições dos profissionais de relações públicas é traduzir a visão, os valores e a missão das organizações em programas, projetos, campanhas e ações que beneficiem os públicos e, ao mesmo tempo, tragam resultados para a organização. O maior desafio, contudo, é traduzir a estratégia em iniciativas e medidas mensuráveis. O *balanced scorecard* pode ajudar nesse processo, pois ele também "traduz missão e estratégia em objetivos e medidas, organizados segundo quatro perspectivas diferentes: financeira, do cliente, dos processos internos e do aprendizado e crescimento" (*ibidem*, p. 25).

Defendemos que a relação entre atores sociais precisa também trazer valor econômico para o negócio. Para Kaplan e Norton (*ibidem*, p. 21), "'o que não é medido não é gerenciado'. [...] As empresas devem utilizar sistemas de gestão e medição de desempenho derivados de suas estratégias e capacidades". Os autores explicam que, embora muitas empresas defendam estratégias fundadas no relacionamento com os clientes, elas motivam e mensuram o desempenho apenas com medidas financeiras.

O *balanced scorecard* foi desenvolvido na década de 1990 e vem evoluindo à medida que os gestores o utilizam. Kaplan e Norton (2019, p. 33) criaram o conceito como um "novo referencial para a mensuração do desempenho das organizações. A proposta original era superar as limitações da gestão baseada apenas em indicadores financeiros". Entretanto, a experiência mostrou que as empresas encontravam dificuldades para executar a estratégia. Desse modo, relatam os autores (*ibidem*, p. 34),

rapidamente aprendemos que a *mensuração* envolve consequências que vão além do simples relato do passado. A mensuração converge o foco para o futuro, pois os indicadores escolhidos pelos gerentes comunicam à organização o que é importante. Para o pleno aproveitamento desse poder, a mensuração deve integrar-se no *sistema gerencial*. Assim, refinamos o conceito do *balanced scorecard* e mostramos como seria possível convertê-lo de sistema de mensuração do desempenho em referencial organizacional do sistema gerencial estratégico. O *scorecard* estratégico substituiu o orçamento como centro dos processos gerencias. Com efeito, o *balanced scorecard* se transformou no sistema operacional de um novo processo gerencial estratégico.

O relato dos autores (*ibidem*, p. 8) mostra o surgimento de "um novo modelo organizacional – a 'Organização Orientada para a Estratégia'", o que indica que todas as áreas, inclusive a comunicação, precisam inserir a estratégia no centro de seus processos, ou seja, no próprio planejamento, planos, projetos, recursos, orçamento etc., mesmo que trabalhem com ativos intangíveis. Sendo assim, os autores (*ibidem*, p. 8o) explicam que

o *balanced scorecard* fornece um novo referencial para a descrição da estratégia, mediante a conexão de ativos intangíveis e tangíveis em atividades criadoras de valor. O *scorecard* não tenta "avaliar" os ativos intangíveis da organização. Ele de fato mede esses ativos, mas não em unidades monetárias (dólar, iene ou euro). Assim, o *balanced scorecard* recorre a mapas de conexões de causa e efeito para descrever como os ativos intangíveis são mobilizados e combinados com outros ativos, tanto intangíveis como tangíveis, para o desenvolvimento de proposições de valor que efetivamente criem valor para os clientes e para a produção dos resultados financeiros almejados.

A relação, causa formal das relações públicas, é um ativo intangível que se dá na prática por meio dos quatro níveis de interação. Esses níveis podem contribuir para o *balanced scorecard,* uma vez que orientam planos que visam estabelecer relações de comunicação de negócio com os públicos no âmbito de ações estratégicas.

O mapa estratégico é uma ferramenta desenvolvida por Kaplan e Norton (*ibidem*, p. 81) que "descreve o processo de transformação de ativos intangíveis em resultados tangíveis para os clientes e, por conseguinte, em resultados financeiros". É, portanto, uma ferramenta que "fornece aos executivos um referencial para a descrição e [o] gerenciamento da estratégia na economia do conhecimento". A ferramenta pode ajudar os profissionais de relações públicas a descrever como planejar as relações de comunicação de negócio e combiná-las com outros ativos para desenvolver planos, programas, projetos, campanhas e ações que efetivamente criem valor para os clientes e para os resultados financeiros da organização. A Figura 13 ilustra o mapa estratégico do *balanced scorecard*.

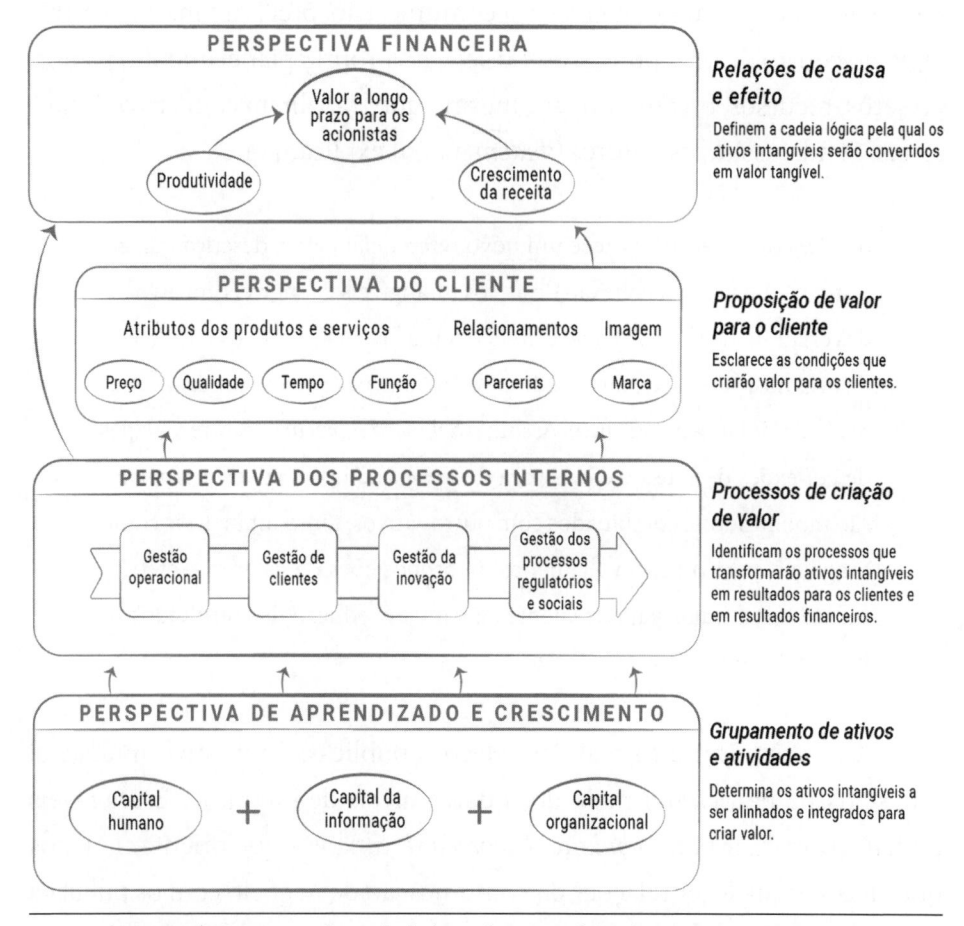

FIGURA 13 | Mapa estratégico do *balanced scorecard* (Kaplan e Norton, 2018, p. 33)

A Figura 13 apresenta as quatro perspectivas interligadas: financeira, do cliente, dos processos internos e do aprendizado e crescimento. Mostraremos como a atividade de relações públicas pode criar valor para a organização e os acionistas por meio do principal ativo intangível, que é a relação.

A *perspectiva financeira* deve criar valor a longo prazo para os acionistas. Segundo Kaplan e Norton (2017, p. 8), o objetivo dessa perspectiva é responder à seguinte pergunta: como aumentar o valor de nosso portfólio de unidades de negócio estratégicas para o acionista? Para esses autores (1997, p. 49), "a elaboração do *balanced scorecard* deve ser um incentivo para que as unidades de negócios vinculem seus objetivos financeiros à estratégia da empresa". Embora a atividade de relações públicas trabalhe diretamente com ativos intangíveis, ela deve também criar e vincular seus objetivos financeiros à estratégia da organização. Os autores (*ibidem*, p. 26) explicam que "objetivos financeiros normalmente estão relacionados à lucratividade – medida, por exemplo, pela receita operacional, [pel]o retorno sobre o capital empregado ou, mais recentemente, [pel]o valor econômico agregado". Sugerimos as seguintes indagações para que a área de comunicação possa iniciar suas reflexões de como ela contribuirá para os objetivos financeiros de longo prazo da organização:

1. Qual é a estratégia da área de comunicação?
2. Quais são os objetivos financeiros da área de comunicação?
3. A estratégia da área e dos planos de ação estão contribuindo para as estratégias e objetivos financeiros da organização?
4. Quais são as métricas e os indicadores utilizados para mensurar os impactos financeiros da comunicação?

A *perspectiva dos clientes*, de acordo com Kaplan e Norton (2018, p. 32), "define a proposição de valor para os clientes-alvo. A proposição de valor fornece o contexto para que os ativos intangíveis criem valor". O objetivo dessa perspectiva deve responder à seguinte pergunta: "Como podemos compartilhar a interface com os clientes para aumentar o valor total?"

(Kaplan e Norton, 2017, p. 8). O *balanced scorecard* "permite que os executivos identifiquem os segmentos de clientes e mercados nos quais a unidade de negócios competirá e as medidas do desempenho da unidade nesses segmentos-alvo" (Kaplan e Norton, 1997, p. 26). Assim, cabe aos gestores de relações públicas identificar, entre os diversos públicos com que a organização se relaciona, os segmentos de clientes e mercados com que a área de comunicação desenvolverá suas iniciativas, bem como as métricas e os indicadores da área naqueles segmentos-alvo. "Essa perspectiva normalmente inclui várias medidas básicas ou genéricas do sucesso de uma estratégia bem formulada e bem implementada" (*ibidem*, p. 26). Alguns exemplos de medidas essenciais são a satisfação, a retenção e a aquisição de novos clientes. Além dessas medidas, a perspectiva do cliente "deve incluir medidas específicas das propostas de valor que a empresa oferecerá aos clientes desses segmentos" (*ibidem*). Para a área de comunicação ajudar nos objetivos da perspectiva dos clientes, propomos as seguintes perguntas:

1. Para quais segmentos de clientes e mercados a área de comunicação desenvolverá planos, programas, projetos, campanhas e ações?
2. Qual é a proposta de valor que as iniciativas de comunicação oferecerão aos clientes desses segmentos?
3. Quais são as métricas e os indicadores da proposta de valor?
4. Quais são as métricas e os indicadores da área e das iniciativas de comunicação?

Segundo Kaplan e Norton (1997, p. 68), "além de aspirarem a satisfazer e encantar os clientes, os executivos das unidades de negócios devem, na perspectiva dos clientes do *balanced scorecard,* traduzir suas declarações de missão e estratégia em objetivos específicos baseados no mercado e nos clientes". Quanto à atividade de relações públicas, os gestores podem desenvolver planos, programas, projetos, campanhas e ações com os objetivos específicos de gerar participação e vínculo, por exemplo, para satisfazer e encantar os clientes. As interações que serão realizadas com os clientes resultarão em relações de valor agregado para aquele segmento de público. Desse modo, é necessário que as iniciativas de comunicação contemplem a proposta de valor para o cliente.

Kaplan e Norton (1997, p. 77) esclarecem que "as propostas de valor apresentadas aos clientes são os atributos que os fornecedores oferecem, através de seus produtos e serviços, para gerar fidelidade e satisfação em segmentos-alvo". Essas propostas variam "de acordo com o setor de atividade e os diferentes segmentos de mercado". Os autores observaram a "existência de um conjunto comum de atributos que permite sua ordenação em todos os setores". Os atributos foram divididos em três categorias:

1. atributos dos produtos/serviços;
2. relacionamento com os clientes;
3. imagem e reputação.

Os quatro tipos de objetivo para estabelecer relações de comunicação de negócio com os públicos (objetivos de informação, de comunicação, de participação e de vínculo; veja no Capítulo 3) podem ser usados em iniciativas para as três categorias de atributo, principalmente nos itens de relacionamento com os clientes e de imagem e reputação. A Figura 14 ilustra a proposta de valor.

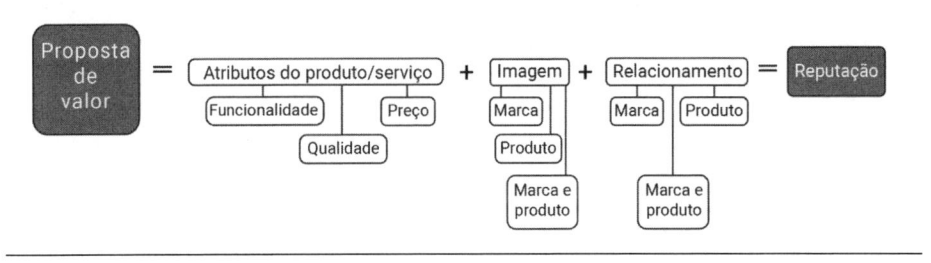

FIGURA 14 | Proposta de valor (adaptado de Kaplan e Norton, 1997, p. 79)

A Figura 14 mostra que o gestor de relações públicas pode desenvolver iniciativas que contenham uma proposta de valor direcionada para atributos do produto e/ou serviço, para a imagem e/ou para o relacionamento com clientes. O investimento na proposta de valor resulta em reputação.

Embora os objetivos de informação e comunicação sejam importantes, uma proposta de valor exige planos que priorizem os objetivos de gerar participação e vínculo, pois correspondem a formas de interação mais individualizadas e mais próximas dos clientes. Alguns exemplos de métricas gerais para as ações desenvolvidas com esses objetivos são a quantidade de produtos vendidos por meio das ações de imagem e relacionamento, a quantidade de novos clientes que compraram o produto após as ações de imagem e relacionamento e a quantidade de clientes que demonstraram satisfação com a marca e o produto após as ações de imagem e relacionamento.

A abordagem do *balanced scorecard* para a *perspectiva dos processos internos* tem por objetivo responder à seguinte pergunta: como gerenciar os processos das unidades de negócios para obter economias de escala ou promover a integração da cadeia de valor? (Kaplan e Norton, 2017, p. 10). De acordo com os mesmos autores (1997, p. 27), essa perspectiva "costuma resultar na identificação de processos inteiramente novos nos quais uma empresa deve atingir a excelência para alcançar os objetivos financeiros e dos clientes". Kaplan e Norton citam o exemplo de empresas que precisam "desenvolver um processo para prever as necessidades dos clientes, ou oferecer novos serviços aos quais os clientes atribuam grande valor". Dessa maneira, compete aos gestores de relações públicas identificar processos novos que tragam inovação no relacionamento com os clientes. Kaplan e Norton (*ibidem*, p. 98) ainda salientam a "importância de medir o desempenho dos processos de negócios, como atendimento de pedidos, compras, planejamento e controle de produção, que atravessem vários departamentos organizacionais". Alguns exemplos de medidas para esses processos são as de custo, qualidade, produtividade e tempo. Na área de relações públicas, as métricas devem corresponder aos processos internos necessários para a execução das iniciativas. No capítulo anterior, no tópico "Objetivos, metas, métricas, indicadores de *performance* da relação" (p. 63), propusemos que os objetivos podem ter quantas metas forem necessárias e sugerimos que cada objetivo tenha dois grupos de metas: as metas de ação internas (MAIs), que são aquelas ações que dependem do trabalho e do cumprimento de prazos da organização, e as metas de percepção externas (MPEs), que são aquelas em que a organização depende da percepção do público-alvo para obter resultado. Portanto, as medidas dos processos internos de relações públicas se referem às métricas que precisam ser criadas para cada MAI. De acordo com Kaplan e Norton (1997, p. 99), "no *balanced scorecard*, os objetivos e medidas para a perspectiva dos processos internos derivam de estratégias explícitas voltadas para o atendimento às expectativas dos acionistas e clientes-alvo". Destacamos algumas perguntas para a área de comunicação colaborar na perspectiva dos processos internos:

1. Quais são os processos e iniciativas que a área de comunicação criará para trazer inovação aos clientes?
2. Quais serão as métricas e indicadores desses processos e iniciativas?

Por fim, segundo Kaplan e Norton (2017, p. 11), a *perspectiva de aprendizado e crescimento* deve responder à pergunta: como desenvolver e compartilhar nossos ativos intangíveis? Os mesmos autores (2018, p. 34) afirmam que tal perspectiva "define os ativos intangíveis mais importantes para a estratégia", pois é nesse momento que se identificam "que cargos (o capital humano), que sistemas (o capital da informação) e que tipo de clima (o capital organizacional) são necessários para sustentar os processos internos de criação de valor". Kaplan e Norton (1997, p. 29) citam alguns exemplos de objetivo para essa perspectiva: "investir na reciclagem de funcionários, no aperfeiçoamento da tecnologia da informação e dos sistemas e no alinhamento dos procedimentos e rotinas organizacionais". As medidas gerais utilizadas para os funcionários, por exemplo, são "satisfação, retenção, treinamento e habilidades dos funcionários". Essas medidas devem estar harmonizadas com "indicadores detalhados de habilidades específicas para o novo ambiente competitivo" (*ibidem*, p. 29). Desse modo, concerne aos gestores de relações públicas apontar as necessidades relativas a pessoas, sistemas e procedimentos organizacionais para que se implementem as iniciativas de comunicação. Dessa última perspectiva, as indagações que ajudam a área de comunicação são:

1. Quais são as necessidades da área de comunicação para implementar suas iniciativas?
2. Quais ativos intangíveis serão desenvolvidos e compartilhados?
3. Qual é o ativo intangível mais importante para a estratégia da organização?

Kaplan e Norton (2018, p. 32) esclarecem que o mapa estratégico do *balanced scorecard,* ilustrado na Figura 13, "fornece um modelo que mostra como a estratégia liga os ativos intangíveis a processos que criam valor". As quatro perspectivas estão conectadas por relações de causa e efeito. Para exemplificar uma relação de causa e efeito na comunicação, retomemos o objetivo de vínculo descrito no Capítulo 3: "construir as Diretrizes de Apoio às Causas Sociais da empresa *X* de forma colaborativa com funcionários, clientes e fornecedores para implementar iniciativas que beneficiem jovens no Brasil e contribuam com as políticas públicas". Embora esse objetivo intangível (criar vínculo) possa contribuir para a proposta de valor, é preciso saber como ele contribui e como difere de ativos tangíveis. Com base em Kaplan e Norton (2019, p. 78), vamos exemplificar uma relação de causa e efeito com esse objetivo:

▸ *Perspectiva de aprendizado e crescimento.* O investimento em funcionários, por meio de treinamentos e cursos, gera mais conhecimento para elaborar novos projetos e para escolher e desenvolver o ativo intangível que mais contribui para a estratégia da organização.
▸ *Perspectiva dos processos internos.* O conhecimento aprimorado para elaborar novos projetos e desenvolver o ativo intangível resulta em maior satisfação dos funcionários, fornecedores e clientes.
▸ *Perspectiva dos clientes.* A maior satisfação dos funcionários, fornecedores e clientes resulta em aumento da lealdade desses públicos, sobretudo dos clientes, que são o foco do mapa estratégico.

▸ *Perspectiva financeira.* O aumento da lealdade desses públicos, sobretudo os clientes, se traduz em crescimento da receita e da reputação da marca.

Kaplan e Norton (*ibidem*) esclarecem que "os resultados financeiros estão segregados, em termos causais e temporais, da melhoria dos ativos intangíveis. A complexidade das conexões torna difícil, se não impossível, atribuir valor financeiro a um ativo como 'capacidades da força de trabalho'" ou, ainda, como relacionamento com clientes.

Conforme já afirmamos, o *balanced scorecard* não tenta medir os ativos intangíveis da organização em unidades monetárias; ele recorre a mapas de conexões de causa e efeito para descrever como esses ativos podem criar valor para os clientes e para a produção dos resultados financeiros almejados (Kaplan e Norton, 2019, p. 80).

Valor dos ativos intangíveis

Até aqui, mostramos como os ativos intangíveis podem contribuir para a criação de valor. A seguir resumiremos quatro fatores, elaborados por Kaplan e Norton (*ibidem*, p. 78-79), que explicam por que a criação de valor de ativos intangíveis se diferencia da criação de valor de ativos tangíveis.

1. *O valor do ativo intangível é indireto.* Como vimos no exemplo anterior de comunicação, os ativos intangíveis raramente exercem impacto direto sobre os resultados financeiros, na forma de receita e lucro. "As melhorias nos ativos intangíveis afetam os resultados financeiros por meio das cadeias de relações de causa e efeito" (*ibidem*, p. 78).

2. *O valor do ativo intangível é contextual.* "Os valores dos ativos intangíveis dependem do contexto e da estratégia organizacional" (*ibidem*). Sendo assim, é fundamental que ocorra alinhamento entre os ativos intangíveis e a estratégia de negócio da organização.

Por exemplo: empresas que seguem uma estratégia de proximidade com o cliente "enfatizarão a qualidade do relacionamento com os usuários de seus produtos e serviços e a inteireza de suas soluções" (*ibidem*, p. 100). Desse modo, os profissionais de relações públicas podem elaborar planos com estratégias de participação e/ou vínculo com os clientes, ou, ainda, confiança na marca, pois são três ativos intangíveis que estão de acordo com a estratégia de negócio da organização. Em outra situação, como quando uma empresa prioriza a estratégia de excelência operacional, a probabilidade de o investimento na área de comunicação ser menor é maior. Nesse caso, os planos de comunicação tendem a ser mais específicos e, muitas vezes, voltados para o público interno.

3. *O valor do ativo intangível é potencial.* As empresas conseguem medir os custos com projetos que trabalham com ativos intangíveis, mas medir o retorno do que foi realizado é, nas palavras de Kaplan e Norton (*ibidem*, p. 79), "uma aproximação grosseira". Os ativos intangíveis "possuem valor potencial, mas não valor de mercado". Os processos organizacionais, como os próprios planos que visam ao relacionamento com os públicos, "são imprescindíveis para transformar o valor potencial dos ativos intangíveis em produtos e serviços com valor tangível".

4. *Os ativos intangíveis formam conjuntos.* "Os ativos intangíveis raramente têm valor em si mesmos (os nomes de marca, passíveis de venda, são exceção). Em geral, os ativos intangíveis devem formar conjuntos com outros ativos – intangíveis e tangíveis – para criar valor" (*ibidem*). Por exemplo: uma empresa que segue a estratégia de crescimento e vai lançar um novo produto pode exigir novos conhecimentos sobre os clientes; novos programas de relacionamento com os atuais consumidores e clientes potenciais; retreinamento do pessoal da área de vendas; investimento em monitoramento de mídia para gerar novos bancos de dados; novos projetos que reforcem os valores da marca institucional etc. O valor, portanto, está no

conjunto dessas ações e em outras que serão necessárias para o lançamento do novo produto, desde que as iniciativas estejam alinhadas com a estratégia de crescimento. Ou seja, "o valor não se concentra em nenhum ativo intangível específico. Ao contrário, emana da criação de todo um conjunto de ativos, juntamente com a estratégia que os conecta entre si" (*ibidem*).

Para finalizar este tópico, que tratou da importância dos ativos intangíveis no sistema gerencial estratégico, destacamos a necessidade de alinhar a estratégia de comunicação e suas respectivas iniciativas com a estratégia da organização. A Figura 15 ilustra o alinhamento.

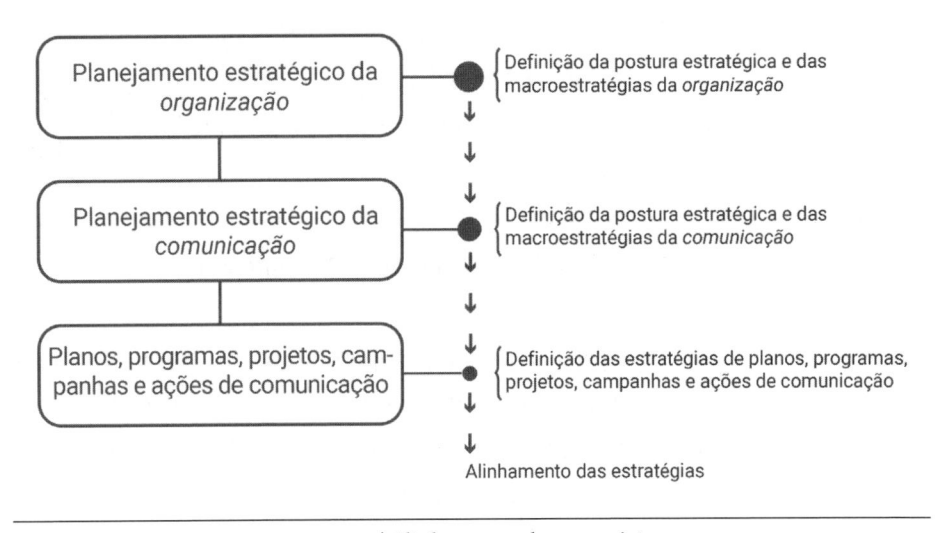

FIGURA 15 | Alinhamento das estratégias

Levando em consideração o trabalho do gestor de comunicação, primeiro é preciso compreender a estratégia da organização para depois, com base em análises do ambiente interno e externo, definir a estratégia da área de comunicação. Desse modo, as estratégias dos mais diversos planos, programas, projetos, campanhas e ações de comunicação serão desenvolvidas de maneira alinhada com os interesses tanto da área quanto do negócio. Entretanto, para que a área de comunicação demonstre como ela contribui para a criação de valor da organização, sugerimos a implementação de mapas estratégicos para gerenciar a estratégia de comunicação. O próximo tópico detalhará o papel da estratégia na comunicação.

Estratégia

HÁ DIFERENTES DEFINIÇÕES DE ESTRATÉGIA, bem como abordagens de como e quando incluí-la em iniciativas de comunicação. De acordo com Mintzberg (2006, p. 23), não existe definição de estratégia universalmente aceita: "Vários autores e dirigentes usam o termo diferentemente". Assim, nosso propósito nesta etapa é apresentar tanto uma perspectiva de estratégia para a comunicação como sua função nos âmbitos da organização e da comunicação.

Definições

James Brian Quinn (2006, p. 29, grifos do autor) considera que "as palavras *estratégia, objetivos, metas, política* e *programas* têm diferentes significados para cada leitor ou para as várias culturas organizacionais". Assim, o autor propõe a definição de que estratégia é "o *padrão* ou *plano* que *integra* as *principais* metas, políticas e sequências de ação da organização em um todo *coeso*". Os objetivos ou metas "estabelecem *o que* vai ser atingido e *quando* os resultados devem ser obtidos, mas não estabelecem *como* os resultados devem ser atingidos". As políticas "são regras ou diretrizes que expressam os *limites* dentro dos quais a ação deve ocorrer". Por fim, os programas "especificam a *sequência de ações passo a passo*, necessária para atingir os principais objetivos. Expressam *como* os objetivos vão ser atingidos dentro dos limites estabelecidos pela política".

Para Michael E. Porter (2006a, p. 34), estratégia competitiva significa ser diferente dos concorrentes; portanto, "estratégia é a criação de uma posição de valor única, envolvendo um conjunto de atividades diferentes". Num plano de comunicação, por exemplo, isso significa que podemos desenvolver diversos programas, projetos, campanhas ou ações interligados que representem uma posição de valor.

Kenneth R. Andrews (2006, p. 78) define estratégia corporativa como

> o modelo de decisões de uma empresa que determina e revela seus objetivos, propósitos ou metas, produz as principais políticas e planos para atingir essas metas e define o escopo de negócios que a empresa vai adotar, o tipo de organização econômica e humana que ela é ou pretende ser e a natureza da contribuição econômica e não econômica que ela pretende fazer para seus acionistas, funcionários, clientes e comunidades.

Nessa visão, a estratégia corporativa é um modelo que contempla um conjunto de decisões que direciona a atuação das demais áreas da organização, inclusive a área responsável pela comunicação. Segundo o mesmo autor (*ibidem*, p. 78), "o modelo resultante de uma série de tais decisões provavelmente vai definir o caráter e a imagem central de uma empresa, a individualidade dela para seus membros e vários públicos e a posição que ela vai ocupar em seu segmento e mercados". Além disso, o modelo "vai permitir a especificação de objetivos particulares a serem atingidos", como os próprios objetivos da área de comunicação.

A eficácia do planejamento de comunicação depende do conhecimento das estratégias corporativas da organização, porque, de acordo com Kenneth Andrews (*ibidem*, p. 78), são "a unidade, a coerência e a consistência interna das decisões estratégicas de uma empresa que vão posicioná-la em seu ambiente e dar-lhe identidade, poder para mobilizar suas forças e possibilidade de sucesso no mercado".

Conforme Rebouças de Oliveira (2018, p. 184), estratégia é

> um caminho, ou maneira, ou ação formulada e adequada para alcançar, preferencialmente de maneira diferenciada e inovadora, as metas, os desafios e os objetivos estabelecidos, no melhor posicionamento da empresa perante seu ambiente, onde estão os fatores não controláveis.

O autor (*ibidem*, p. 203) propõe três perspectivas para formular as estratégias. A primeira diz respeito aos aspectos internos, isto é, "a empresa, com seus recursos, seus pontos fortes, fracos ou neutros, bem como sua visão, valores, missão, propósitos, objetivos, desafios, metas e políticas". A segunda corresponde aos aspectos externos, portanto "o ambiente, em sua constante mutação, com suas oportunidades e ameaças recebendo influências dos diversos cenários". A terceira perspectiva é a "integração entre a empresa e seu ambiente visando à melhor adequação possível, estando inserida [...] a amplitude da visão, a qualidade dos valores dos principais executivos e/ou proprietários da empresa e a postura estratégica da referida empresa".

A estratégia da organização é a escolha de um caminho que direciona todas as áreas. Rebouças de Oliveira (*ibidem*, p. 181) sugere a pergunta: "Que destino devo dar à empresa e como devo estabelecer esse destino?"

As estratégias podem ser classificadas de diferentes formas. Para a melhor compreensão do uso da estratégia em comunicação, destacamos a classificação de Rebouças de Oliveira (*ibidem*, p. 184-85) quanto à amplitude, que compreende a macroestratégia, a estratégia funcional e a microestratégia. As macroestratégias "correspondem às grandes ações e caminhos que a empresa vai adotar, visando atuar nos propósitos atuais e futuros identificados dentro da missão, tendo como *motor de arranque* sua postura estratégica" (*ibidem*, p. 137, grifos do autor). A estratégia funcional "corresponde à forma de atuação de uma área funcional da empresa, normalmente correlacionada ao nível tático da empresa" (*ibidem*, p. 185). Por fim, a microestratégia ou subestratégia "corresponde à forma de atuação operacional, normalmente correlacionada a uma meta da empresa" (*ibidem*).

Mais adiante, ilustraremos no Quadro 11 (p. 116) a amplitude da estratégia no planejamento.

A estratégia no planejamento estratégico da organização
Compreender a função de uma estratégia de *comunicação* no âmbito da *organização* implica ter clareza de alguns dos elementos essenciais do processo de planejamento estratégico: a visão, os valores, a missão, os propósitos, os cenários estratégicos, a postura estratégica, as macroestratégias, as macropolíticas e a realidade dos concorrentes.

O conhecimento da visão, dos valores e da missão da organização é primordial para qualquer iniciativa de comunicação, pois orienta todo o trabalho que será elaborado.

Para Rebouças de Oliveira (2018, p. 57), a *visão* é o primeiro elemento do processo de planejamento estratégico. O autor (*ibidem*, p. 64) esclarece que "a visão proporciona o grande delineamento do planejamento estratégico a ser desenvolvido e implementado pela empresa. A visão representa o que a empresa quer ser em um futuro próximo ou distante". Dessa maneira, no que toca à comunicação, o primeiro exercício que se deve fazer é compreender a visão, porque ela mostra o que a empresa quer ser e especifica o limite de tempo para a realização das ações.

Os *valores* traduzem a organização e mostram seu perfil. Margarida Kunsch (2016a, p. 253) pontua que "os valores expressam as crenças, os atributos ou as convicções filosóficas dos fundadores e dirigentes das organizações". Na prática, explica Rebouças de Oliveira (2018, p. 43), os valores consolidam a personalidade da empresa e proporcionam sustentação para todas as suas principais decisões. Normalmente, as empresas estabelecem um conjunto de valores, como apoio à comunidade, sustentabilidade, qualidade, diversidade etc. Quanto ao planejamento da comunicação, deve ter planos, programas, projetos, campanhas e ações que, de alguma maneira, trabalhem com os valores da organização.

Conforme explica Kunsch (2016a, p. 249), a *missão* "expressa a razão de ser de uma organização e o papel que ela exerce na sociedade e no mundo dos negócios. Explicita seus propósitos e suas realizações, descrevendo os produtos ou serviços que se empenha em produzir e oferecer". A compreensão e o direcionamento do negócio são informações que norteiam qualquer planejamento de comunicação, porque "a missão da empresa exerce a função orientadora e delimitadora da ação empresarial, e isso dentro de um período de tempo normalmente longo, em que ficam comprometidos valores, crenças, expectativas, conceitos e recursos" (Rebouças de Oliveira, 2018, p. 112).

Para poder cumprir a missão, a organização precisa ter *propósitos*. Rebouças de Oliveira (*ibidem*) esclarece que os propósitos são compromissos viáveis e interessantes para o negócio; representam grandes áreas de atuação selecionadas e planejadas no contexto da missão estabelecida. O profissional de relações públicas tem papel fundamental em definir e, sobretudo, em traduzir e comunicar o propósito da organização para os públicos. Diego Wander Silva (2019, p. 261-62) explica que, quando uma organização deixa claro qual é seu propósito, "ela tende a contribuir para a percepção de associação e de valor. Em tempos marcados pela expectativa de posicionamento das organizações, esse caminho será cada vez mais desejado e necessário – ao menos para quem desejar se manter competitivo". É preciso que os públicos enxerguem a organização além de questões mercadológicas, portanto é "oportuno perceber a dimensão do propósito como uma alternativa que permita elevar a capacidade relacional e de vinculação entre organizações e seus interlocutores, que motive sentidos interessantes no âmbito da significação". Silva menciona a ascensão das causas sociais e afirma que "cabe às organizações estarem atentas a temáticas emergentes e se manterem fiéis a suas raízes, a suas motivações fundantes e originárias" (*ibidem*). Com base nos autores citados, compreendemos o propósito como o esforço da organização para conectar interesses de negócio com demandas da sociedade.

A elaboração de *cenários estratégicos* é uma etapa fundamental do planejamento estratégico da organização. Rebouças de Oliveira (2018, p. 50-51) esclarece que os cenários são montados com base em dados e informações estratégicas e representam situações, critérios e medidas para a preparação do futuro da empresa. Assim, os cenários podem ser desenvolvidos para retratar algum momento no futuro ou detalhar a "evolução e a sequência de eventos, desde o momento atual até determinado momento no futuro" (p. 51). Existem também os "cenários alternativos que, por definição, não são previsões do que deve ocorrer. Pelo contrário, por questionar premissas, devem explorar possibilidades alternativas do futuro, possibilidades estas inconsistentes entre si em algumas dimensões, mas compatíveis em outras" (*ibidem*). Para o mesmo autor (*ibidem*, p. 120), pode-se analisar inúmeras variáveis para elaborar um cenário, como tecnologia, costumes, legislação, eleições, saúde etc. Há também diferentes técnicas e metodologias para desenvolver cenários estratégicos.

Entretanto, independentemente da abordagem escolhida no que corresponde à elaboração de cenários estratégicos da comunicação, é válido incluir também costumes e atitudes dos públicos, assim como características da sociedade na qual a empresa está inserida. Segundo Else Lemos (2015, p. 200), "os profissionais de comunicação em geral e, especificamente, os relações-públicas precisam não apenas entender os processos de comunicação, mas o contexto social e organizacional em que a comunicação se dá". Além disso, é tarefa básica analisar o que Rebouças de Oliveira (2018, p. 123) chamou de cenários de valores. "Os cenários de valores tratam de aspirações da sociedade, bem como de valores sociais segundo diferentes modelos de desenvolvimento", e esses cenários devem, na prática, apresentar relação com os valores da empresa. Entre as mudanças sociais se incluem, conforme Kenneth Andrews (2006, p. 81), "a busca de igualdade pelos grupos minoritários, a demanda das mulheres por oportunidade e reconhecimento, os padrões mutantes de trabalho e lazer, os efeitos da urbanização sobre o indivíduo, a família e a vizinhança, o aumento da criminalidade" etc. A definição de cenários estratégicos da comunicação abrange, portanto, a compreensão de temas que encontram semelhança com os indivíduos e que extrapolam questões voltadas para produtos e serviços. Da mesma maneira, o número de variáveis que serão analisadas para elaborar o cenário no qual se desenvolverão as ações de relacionamento dependerá daquilo que é mais importante para a perspectiva financeira da organização.

Existem várias possibilidades e caminhos que podem ser escolhidos para a organização cumprir sua missão. Desse modo, a *postura estratégica* da empresa é a escolha de um desses caminhos. Para Rebouças de Oliveira (2018, p. 125), a postura estratégica "objetiva orientar o estabelecimento de todas as estratégias e políticas, principalmente as de médio e longo prazo necessárias para [a] empresa, a partir do momento em que se decidiu por determinada missão". Os três principais aspectos para estabelecer a postura estratégica de uma empresa são:

1. a missão;
2. a relação, positiva ou negativa, entre as oportunidades e ameaças;

3. a relação, positiva ou negativa, entre os pontos fortes e fracos.

Para o mesmo autor, as posturas estratégicas podem ser de sobrevivência, manutenção, crescimento e desenvolvimento. A empresa pode estar numa dessas posturas ou ainda escolher uma ou a combinação entre elas. No tocante ao planejamento da comunicação, a postura estratégica da empresa orienta o estabelecimento da postura estratégica da comunicação. Para formular essa última, é necessário ter clareza do caminho que a organização seguirá, pois, se a decisão for pela postura de crescimento, por exemplo, a comunicação deverá também adotá-la.

A definição da postura estratégica possibilita o estabelecimento das *macroestratégias* e das *macropolíticas*, já que, segundo Rebouças de Oliveira (2018, p. 51), as macroestratégias correspondem às grandes ações ou caminhos que a empresa deverá adotar para melhor interagir, usufruir e gerar vantagens competitivas no mercado. Quanto ao planejamento da comunicação, este também terá suas macroestratégias, porém endereçadas aos planos de comunicação. Para formular as macroestratégias de comunicação, é preciso assimilar primeiro as decisões macroestratégicas da organização. Alguns exemplos pontuais de macroestratégia com ativos intangíveis são a escolha pelo caminho que traz visibilidade para a marca, no que se incluem notáveis patrocínios, apoios e projetos diversos, e/ou o caminho do relacionamento com os públicos, que abarca numerosas iniciativas que promovem interação. Nesse sentido, os planos, programas, projetos, campanhas e ações devem seguir essas orientações na prática.

Se as macroestratégias tratam das grandes ações, "as macropolíticas correspondem às grandes orientações que toda a empresa deve respeitar e que irão facilitar e agilizar seu processo decisório e suas ações estratégicas" (*ibidem*, p. 137). O mesmo ocorre com as iniciativas de comunicação, pois devem seguir as orientações das macropolíticas. Há situações em que as macropolíticas não englobam questões direcionadas para a comunicação. Nesses casos, a área de comunicação deve criar uma política específica alinhada às macropolíticas.

Por fim, é fundamental conhecer a realidade dos *concorrentes*[30] para elaborar ações eficazes, porque ser estratégico em comunicação é também saber diferenciar-se da concorrência, criando, assim, vantagem competitiva. Segundo Porter (2006b, p. 95-96), na luta pela participação de mercado, a concorrência não se manifesta apenas nos concorrentes diretos ou em outros participantes. O estado de competição num segmento depende de cinco forças básicas:

1. novos entrantes (ameaça de novos concorrentes);
2. compradores (poder de negociação dos grupos ou compradores industriais e comerciais);
3. substitutos (produtos ou serviços que sofrem ameaça de substituição);
4. fornecedores (poder de negociação dos fornecedores);
5. concorrentes (intensidade da concorrência existente).

No que tange à concorrência em comunicação, é necessário analisar como as organizações que pertencem a cada uma dessas forças se relacionam com seus públicos, principalmente os novos entrantes, os substitutos e os concorrentes.

Até aqui definimos estratégia no âmbito da organização e mostramos nove aspectos fundamentais do processo de planejamento estratégico para que as estratégias de comunicação possam ser determinadas com eficácia. O próximo passo é entender em que momento elaboramos as estratégias de comunicação na esfera da organização. O quadro a seguir ilustra a amplitude da estratégia conforme o tipo de planejamento.

O Quadro 11 apresenta os três tipos e níveis hierárquicos do planejamento. Na prática, ocorre que muitas vezes esses tipos e níveis se sobrepõem. Por isso, é importante considerar tais divisões para ter clareza das responsabilidades de cada área no processo de planejamento de uma organização. Segundo Rebouças de Oliveira (2018, p. 17-18),

---

30. Para mais informações sobre análise dos concorrentes, veja Michael E. Porter (2006b).

QUADRO 11 | Amplitude da estratégia no planejamento (elaborado pela autora com base em Rebouças de Oliveira, 2018, p. 16-21)

Tipo	Nível	Amplitude da estratégia	Características do planejamento
Planejamento estratégico (PE)	Estratégico	Macroestratégia	• Abrange toda a organização. • Corresponde às grandes ações ou caminhos que a empresa vai adotar. • Prazo mais longo, amplitude maior e flexibilidade menor.
Planejamento tático (PT)	Tático	Estratégia funcional ou central	• Envolve níveis organizacionais intermediários. • Áreas e/ou unidades de negócio. Ex.: unidade de negócio de novos produtos, área de relações públicas, área financeira, área de recursos humanos etc. • Prazo mais curto, amplitude mais restrita e flexibilidade maior (em relação ao PE). • Prazo mais longo, amplitude maior e flexibilidade menor (em relação ao PO).
Planejamento operacional (PO) ou plano de ação	Operacional	Microestratégia ou estratégia operacional	• É a operacionalização do planejamento de cada área e/ou unidade de negócio; ou seja, corresponde aos planos de ação. • Prazo mais curto, amplitude mais restrita e flexibilidade maior (em relação ao PT).

o planejamento estratégico é, normalmente, de responsabilidade dos níveis mais altos da empresa e diz respeito tanto à formulação de objetivos quanto à seleção dos cursos de ação – estratégias – a serem seguidos para sua consolidação, levando em conta as condições externas e internas à empresa e sua evolução esperada. Também considera as premissas básicas – políticas – que a empresa, como um todo, deve respeitar para que o processo estratégico tenha coerência e sustentação decisória.

Assim, os nove aspectos essenciais do processo de planejamento estratégico que descrevemos são elaborados nesse primeiro nível. Além daqueles nove, existem mais elementos – como oportunidades, ameaças e pontos fortes e fracos, entre outros – que também fazem parte dessa etapa. Vale ressaltar que os autores diferem quanto às etapas do planejamento e também quanto às metodologias utilizadas. Desse modo, cabe ao profissional responsável escolher a metodologia que seja mais adequada a seus conhecimentos e à organização.

O planejamento tático é de responsabilidade das áreas e/ou das unidades de negócio. De acordo com Rebouças de Oliveira (*ibidem*, p. 19), esse planejamento é desenvolvido pelos níveis organizacionais intermediários e tem como finalidade otimizar determinada área de resultado, não a empresa como um todo. Assim, "trabalha com decomposições dos objetivos, estratégias e políticas estabelecidos no planejamento estratégico". Embora o planejamento da comunicação esteja no nível tático, a amplitude da estratégia pode variar de acordo com a quantidade de iniciativas da área de comunicação. Assim, quando há muitos planos, programas, projetos, campanhas e ações, é importante definir também a macroestratégia de comunicação para orientar o caminho de todas as iniciativas.

O planejamento operacional corresponde aos planos de ação ou planos operacionais. O mesmo autor (*ibidem*, p. 20) elucida que os planos devem conter os recursos necessários para a sua implantação, procedimentos básicos a adotar, resultados esperados, prazos e responsáveis. Os planos de ação de comunicação encontram-se no nível operacional, mas a amplitude da estratégia também pode variar. Desse modo, quando o plano envolve muitas ações, é importante estabelecer uma estratégia central para direcionar as estratégias operacionais de cada ação.

Na prática, os três tipos de planejamento se dão de maneira integrada. Conforme esclarece Rebouças de Oliveira (*ibidem*, p. 17), "o planejamento estratégico, de forma isolada, é insuficiente, uma vez que o estabelecimento de objetivos a longo prazo, bem como seu alcance, resulta numa situação nebulosa, pois não existem ações mais imediatas que operacionalizem o planejamento estratégico". Assim sendo, o planejamento tático das áreas e seus respectivos planos materializam a visão, os valores e a missão de uma organização.

As estratégias de comunicação, que serão detalhadas no próximo tópico, estão localizadas no planejamento tático – pois fazem parte da área de comunicação – e estão presentes nos planos de ação, que concretizam o planejamento das áreas. Entretanto, é válido ressaltar que o planejamento da comunicação, embora seja considerado tático no âmbito da organização, é estratégico também, porque contempla a missão, a visão, os valores, os propósitos, os cenários estratégicos, a postura estratégica, as macroestratégias, as macropolíticas e a realidade dos concorrentes de maneira alinhada à organização, mas com direcionamento para a comunicação.

Estratégia de comunicação

Dan Lattimore *et al.* (2012, p. 128-129), em obra específica sobre relações públicas, definem estratégia como "uma forma ou formas como você vai atingir seus objetivos". As estratégias são um passo intermediário entre objetivos e táticas. Por exemplo, se uma organização tem por objetivo "aumentar o conhecimento sobre o teatro comunitário em 25% na área local", ela poderá ter como estratégias:

1. desenvolver uma campanha de mídia;
2. criar materiais informais [informativos];
3. preparar um evento especial.

Os autores (*ibidem*, p. 129) sugerem táticas para implementar as estratégias, pois "as táticas são as ações mais específicas e diretas que se podem fazer no plano". No caso da estratégia 2, as táticas poderiam ser "criar cartazes para cada peça durante a próxima temporada, preparar programas para as apresentações e criar um vídeo sobre o teatro".

O exemplo acima mostra a sequência: objetivo, estratégia e tática. Desse modo, enquanto a estratégia indica o que vai ser feito para atingir o objetivo, as táticas detalham o passo a passo de como fazer a estratégia.

Em seu livro clássico que trata de planejamento, Adão Eunes Albuquerque (1983, p. 21) define estratégia de relações públicas como

> a arte de empregar recursos de comunicação para atingir objetivos e dar
> o suporte técnico e administrativo para o desenvolvimento harmônico e

humano da instituição e seus públicos, considerando a dimensão total dos conflitos que envolvem todos os campos: político, econômico e psicossocial. Estratégias são, portanto, todas as providências que precisam ser adotadas a fim de que os objetivos sejam alcançados; a arte de escolher onde, quando e com que desfechar um plano de trabalho ou uma campanha planejada, ou ainda, a arte de explorar as condições favoráveis com fim de alcançar os objetivos estabelecidos.

Para Albuquerque (*ibidem*, p. 55, grifos do autor), "as estratégias representam, em última análise, a orientação geral a adotar em cada situação específica. As estratégias de ação determinam *o que se deve fazer*; enquanto as táticas de ação definem *como se deve fazer*". A estratégia de relações públicas pode manifestar-se em diferentes componentes estruturais do plano de comunicação. Assim, "a *orientação estratégica* poderá dizer respeito a um ou mais dos seguintes pontos estabelecidos: objetivos, metas a atingir, ações programadas, fases para execução, recursos a considerar, atribuições, condições de execução, medidas de coordenação", entre outras indicações.

Para Xifra (2011, p. 114, tradução nossa), "cada objetivo deve ter uma estratégia que descreve como ele será alcançado. Normalmente, é necessário mais de uma estratégia para atingir um objetivo". O autor (*ibidem*, p. 117) propõe duas etapas para a estratégia:

1. o estabelecimento de uma linha argumentativa ou tema que se comunicará aos públicos;
2. programar as técnicas[31] que serão necessárias.

A linha argumentativa ou tema e suas mensagens devem constar do âmbito global do plano. As melhores linhas argumentais são aquelas que se apresentam em forma de frase curta, do tipo *slogan*, com no máximo cinco palavras.

---

31. Para Xifra (2011), as técnicas correspondem ao que outros autores, como Lattimore *et al.* (2012) e Albuquerque (1983), consideram táticas.

Além disso, muitos planos de relações públicas têm uma mensagem central inserida na linha argumentativa. Em algumas situações, o plano pode conter ações com diferentes mensagens adaptadas para cada tipo de público. No entanto, essas mensagens precisam ser compatíveis com a linha argumentativa.

Se a estratégia define as grandes orientações para programas e projetos e os objetivos que devem ser alcançados, programar as técnicas implica listar as ações que fazem o projeto acontecer. De acordo com Xifra (*ibidem*, p. 119), as técnicas são as ações e eventos que protagonizam o projeto e as formas de comunicação controladas e não controladas em uso. Nas técnicas de comunicação não controladas, o profissional depende de outros profissionais para sua publicação. Já as técnicas controladas são as informações pagas – segundo Xifra (*ibidem*, p. 121, tradução nossa), aquelas em que "a redação do material, seu formato e a sua publicação nos meios de comunicação dependem do cliente".

A seguir resumiremos seis regras propostas por Xifra (*ibidem*) para redigir uma estratégia.

1. A estratégia deve descrever como o objetivo será cumprido. Cada objetivo pode ter mais de uma estratégia.
2. O texto da estratégia pode conter explicações que justifiquem as técnicas ou táticas que serão utilizadas. Os argumentos usados podem ser retirados da etapa de pesquisa, por exemplo.
3. A estratégia deve incluir uma explicação do tema e das mensagens que serão utilizadas.
4. A estratégia deve apresentar criatividade.
5. Os detalhes da estratégia se apresentam como ações, eventos ou técnicas.
6. A redação da estratégia é o momento de mostrar e convencer os responsáveis pela aprovação do projeto de que vale a pena investir na iniciativa proposta.

Em seu livro sobre planejamento de relações públicas na comunicação integrada, Margarida Kunsch (2016a, p. 220) compreende estratégia como "uma linha mestra, ou seja, um guia de orientação para as ações. É a melhor forma encontrada para conseguir realizar os objetivos". Quanto ao planejamento estratégico da comunicação organizacional, a autora (*ibidem*, p. 273) assinala que "as estratégias devem ser delineadas de forma global e nos projetos e programas específicos". Para isso, o profissional precisa "pensar o que deve ser dito (mensagem), qual o canal ou meio mais adequado (veículo), a que público (receptor) se destina a comunicação, qual o momento mais oportuno e onde ela deve acontecer, detectando-se as ameaças e as oportunidades do ambiente organizacional".

Embora as definições de estratégia, tática e técnica sejam semelhantes, cabe ao profissional escolher a forma que mais combine com o plano que será apresentado. Segundo James Brian Quinn (2006, p. 29), "as empresas têm diversas estratégias, que vão desde níveis corporativos até níveis departamentais dentro das divisões". Para o autor (*ibidem*, p. 30), "normalmente a diferença básica está na escala de ação ou na perspectiva do líder". O que parece ser tática para o presidente pode ser estratégia para um diretor, caso ela determine o sucesso final e a viabilidade da organização. "As táticas podem ocorrer em qualquer nível. Elas são os realinhamentos de ação-interação de curta duração e adaptáveis [...]. A estratégia define uma base contínua para ordenar essas adaptações em direção a objetivos concebidos de forma mais ampla." Por fim, "as estratégias podem ser vistas como declarações prévias para orientar a ação ou como resultados posteriores de um comportamento real".

Para finalizar este tópico, vale citar alguns autores que propõem outras abordagens sobre estratégia em comunicação que diferem da visão dominante. Kunsch (2016b, p. 53) enfatiza dois enfoques para abordar a dimensão estratégica da comunicação organizacional: "O primeiro se baseia numa visão mais conservadora e racional centrada nos resultados, e o segundo, em uma perspectiva mais complexa que leva em conta as incertezas e busca novas alternativas para repensar a comunicação estratégica". Com base em Richard Whittington (2002) e em Rafael Alberto Pérez (2008), Kunsch (*ibidem*, p. 56) propõe "redimensionar a visão da comunicação estratégica conservadora, vendo-a de uma forma mais holística, capaz de interpretar hermeneuticamente o mundo contemporâneo".

A presente obra ressalta a importância das relações sociais e econômicas de comunicação de negócio na contemporaneidade. Em vista disso, para ser estratégico em relações públicas, compreendemos que é necessário saber escolher os ativos intangíveis que mais contribuem para a organização obter resultados. Com base nessa escolha, a estratégia é o exercício criativo, humano e flexível de propor o melhor caminho para atingir objetivos, superar desafios e cumprir metas. Assim, a estratégia central orienta o plano de comunicação, e a estratégia operacional especifica o que se fará e como se desenvolverá cada ação. A seguir, explicaremos como tais estratégias são formuladas.

Como formular as estratégias de comunicação

Para definir com eficácia as estratégias de comunicação, é necessário compreender primeiro os elementos estratégicos que compõem a organização. Assim, temos

1. os cenários estratégicos;
2. a postura estratégica;
3. as macroestratégias.

Esses três elementos estão presentes no *planejamento da organização*, conforme descrito no tópico "A estratégia no planejamento estratégico da organização" (p. 110).

Com relação aos elementos estratégicos do *planejamento da comunicação*, são também estabelecidos os cenários estratégicos, a postura estratégica e as macroestratégias, porém próprias da área de comunicação, ainda que sempre alinhadas à organização. São os grandes direcionamentos da comunicação quanto à forma de atuação da área nos mais diversos planos de ação.

Sobre as estratégias do *plano de ação da comunicação*, propomos:

1. a estratégia central;

2. a estratégia operacional.

Com base nos autores pesquisados, detalharemos a seguir como cada uma pode ser formulada.

Estratégia central

A estratégia central, que também pode ser chamada de funcional, é descrita na fase de apresentação do plano, pois tem por objetivo orientar todos os programas, projetos, campanhas e ações do plano de comunicação.

A redação da estratégia central deve apresentar três elementos:

1. o ativo intangível;
2. a linha argumentativa;
3. a justificativa da estratégia.

Primeiro, defina o ativo intangível. Entre os diversos ativos intangíveis que a comunicação deve e precisa trabalhar, escolha o mais importante para a estratégia da organização, ou seja, aquele que melhor contribuirá para a perspectiva financeira. Alguns exemplos: as relações, a reputação, a confiança, a visibilidade, a participação etc.

A seguir, explique qual será a linha argumentativa do ativo intangível escolhido. Ela vai direcionar o plano de comunicação e costurar todas as ações, com o intuito de fazer o ativo intangível deixar lembranças, sentimentos, boas impressões e memórias na mente dos públicos. Assim, propomos que a linha argumentativa seja um *slogan* (frase de efeito, curta e criativa), um tema, uma mensagem ou, ainda, algumas mensagens que se complementem. No entanto, é necessário explicar como o ativo intangível escolhido será desenvolvido e compartilhado com os públicos, isto é, como ele permeará todas as ações do plano por meio do conteúdo da linha argumentativa.

Por fim, justifique a estratégia central. Este é o momento de descrever as razões que sustentam a premência de investir no ativo intangível escolhido. As razões podem ser descritas em três etapas:

1. *Alinhamento interno.* São os motivos que revelam harmonia com a missão, a visão e os valores da organização; devem também estar em concordância com a posição estratégica e as macroestratégias tanto da organização quanto da área de comunicação.
2. *Diagnóstico.* São os fundamentos retirados da etapa de diagnóstico da comunicação; envolvem os pontos fortes, fracos, oportunidades e ameaças da organização e principalmente da comunicação.
3. *Cenário estratégico da comunicação.* São as premissas que devem mostrar a assertividade da estratégia central diante das influências do ambiente em constante mutação.

Conforme vimos em Xifra (2011, p. 121), a redação da estratégia é o momento de convencer os responsáveis a aprovar o plano. Assim, quanto mais fundamentado o plano, melhor. Em algumas situações não há como incluir todos os fatores na íntegra, mas deve existir da parte dos responsáveis pelo plano um esforço para incluir todas as razões possíveis, pois é o momento em que mostramos o alinhamento da comunicação com as diretrizes da organização. Nesse sentido, podemos dizer que é a oportunidade de mostrar que a área de comunicação ou relações públicas pode trazer resultados para o negócio da organização.

Estratégia operacional

A estratégia operacional, também chamada de microestratégia, é descrita na fase das ações do plano. Se propomos que as estratégias operacionais correspondam aos objetivos específicos e, sobretudo, às metas, é porque precisamos, cada vez mais, provar que as estratégias de comunicação trazem resultados quantitativos e qualitativos para o negócio.

Desse modo, as estratégias operacionais especificam *o que* será feito e *como* cada ação será desenvolvida, pois desvendam as minúcias de cada objetivo e meta específicos. O texto dessa modalidade de estratégia engloba a própria estratégia operacional e seu desenvolvimento. Para isso, é necessário relatar o que será executado, como, quando, onde e para qual público, os tipos de mídia, as mensagens etc. É fundamental que a linha argumentativa da estratégia central apareça, de alguma maneira, no desenvolvimento da estratégia operacional.

Para resumir o capítulo, ilustraremos como as relações de comunicação de negócio provocam retorno de reputação. No que toca à profissão de relações-públicas, é preciso superar os limites do comum e compreender que essas relações se realizam para além da comunicação institucional, permeiam todas as áreas, agregam valor para os clientes e contribuem para a perspectiva financeira da organização.

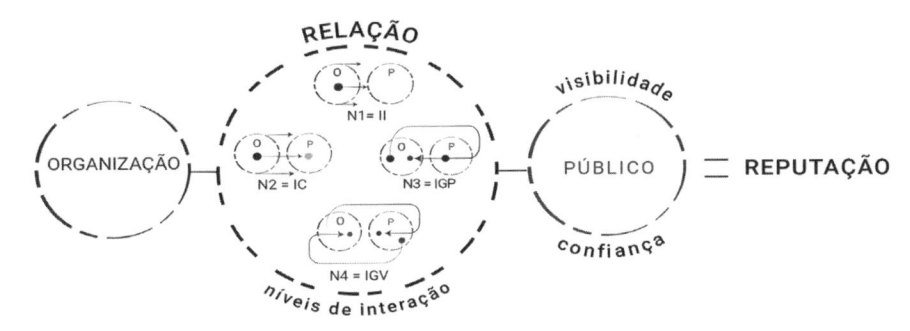

- A relação se dá, na prática, por meio das interações.
- Quanto maior for o nível de interação, mais próxima a organização estará de seus públicos.
- Quanto mais próxima a organização estiver dos públicos, mais visibilidade e confiança ela terá.
- Com mais visibilidade e confiança, maiores serão as chances de construir boa reputação.
- Relação e reputação são alguns dos ativos intangíveis que podem trazer resultados para a perspectiva financeira da organização.
- Para a comunicação contribuir com o negócio, inclua o ativo intangível na estratégia central da comunicação e crie ações com objetivos, metas, métricas, KPIs e estratégias operacionais alinhados à estratégia central.

FIGURA 16 | Como construir relações de comunicação de negócio com ativos intangíveis

5. A metodologia da relação

ESTE CAPÍTULO APRESENTA UMA METODOLOGIA que ajuda profissionais de comunicação a diagnosticar, planejar, implementar e avaliar as relações de comunicação de negócio, a fim de obter resultados sociais e sobretudo econômicos com o relacionamento entre atores sociais, em especial entre organizações e públicos. Primeiro explicaremos por que falamos em relações de comunicação de negócio e, na sequência, apresentaremos a Metodologia da Relação de Relações Públicas (MRRP).

As relações de comunicação de negócio

AS RELAÇÕES PÚBLICAS, COMO SUBÁREA da comunicação – e em face da importância desta na sociedade contemporânea –, estudam e planejam as relações de comunicação entre atores sociais. Tais relações são também de negócio, já que, na maior parte das vezes, são pensadas para tal fim. A respeito disso, Fábio França (2011, p. 255) expõe que,

> no exercício das relações públicas, em que a reciprocidade é a lei, os relacionamentos enquadram-se no campo das relações sociais, pois acontecem entre organizações estabelecidas e legitimadas pela sociedade. Mas o termo que determina a existência da relação são os públicos com os quais as organizações convivem ou desenvolvem relações de cooperação e de negócios, visando principalmente ao longo prazo.

Assim, seja entre organizações e públicos, seja entre qualquer ator social e seus públicos de interesse, temos relações sociais e relações de negócios. Acrescentamos ainda que as relações sociais são intrínsecas aos relacionamentos, mas, quando nos referimos à atividade profissional de relações públicas, elas frequentemente têm fins de negócio.

As relações com fins de negócio precisam também ser humanas. Ao pesquisar a anatomia do vínculo humano, das relações e das conexões entre as pessoas, Brené Brown (2016, p. 12) diz que "estamos aqui para criar vínculos com as pessoas. Fomos concebidos para nos conectar uns com os outros. Esse contato é o que dá propósito e sentido à nossa vida e, sem ele, sofremos". Ora, as relações públicas estabelecem as relações de comunicação por meio de níveis diferentes de interação, como vimos no Capítulo 2. O mais elevado dos níveis é justamente o nível do vínculo. Para Brown (*ibidem*, p. 111), "quando tratamos as pessoas como objetos, nós as desumanizamos". Nesse sentido, mesmo quando a relação é de negócio, criar vínculo é investir em iniciativas de aproximação com os indivíduos; é dar atenção, até mesmo quando o assunto é um problema ou reclamação; é valorizar a presença e a participação; é ter empatia.

Para Leonard Greenhalgh (2002, p. 39), "as pessoas precisam vivenciar um sentido de inclusão e de comunidade, caso se espere que elas se comprometam com o curso de ação". O resultado dessas atitudes é a conquista da confiança, como também vimos no Capítulo 2. Os atores sociais que desejam efetivar relações de comunicação de negócio precisam compreender que a vulnerabilidade faz parte do processo de comunicação. Segundo Brown (2016, p. 28), "vulnerabilidade é incerteza, risco e exposição emocional". No caso das organizações, a exposição diz respeito ao alinhamento de propósitos, bem como à prática dos valores organizacionais perante a sociedade. Nem sempre o ator social agradará a todos os públicos, assim como não criará vínculos com todos os indivíduos. A criação de vínculos exige tempo e predisposição para investir nos relacionamentos.

Greenhalgh (2002, p. 10) afirma que "ser eficaz como gerente exige que você seja bom em gerenciar relacionamentos de negócios – com colegas, funcionários, superiores, fornecedores, clientes, órgãos reguladores, concorrentes e vários acionistas". O autor acrescenta que o caminho para a vantagem competitiva é "conseguir que as pessoas, os grupos e a organização se concentrem em um objetivo comum – e com total compromisso no sentido de atingi-lo". Em relações públicas, quando falamos em *relações de comunicação de negócio*, referimo-nos ao fato de que essa é uma atividade profissional capaz de atuar não só em diferentes áreas, mercados e setores, mas também, de forma mais específica, em programas, projetos, campanhas e ações diversos que, para ser postos em prática, necessitam de relações de comunicação.

De acordo com o mesmo autor (*ibidem*, p. 12), os relacionamentos "variam em complexidade desde relações interpessoais com colegas até laços complexos que integram as cadeias de valor. Todos precisam ser entendidos e bem administrados". Ao profissional de relações públicas cabe, portanto, entender e planejar essas relações cujo propósito é construir uma boa reputação. Entretanto, a atuação do profissional vai muito além das práticas institucionais, pois está atrelada à rede de relacionamentos necessária para a permanência de qualquer ator social na sociedade. A respeito disso, Greenhalgh (*ibidem*, grifos do autor) esclarece que é possível "obter percepções muito mais interessantes vendo o mundo dos negócios principalmente como uma *rede de relacionamentos*, em vez de estruturas e transações".

A Metodologia da Relação de Relações Públicas (MRRP)

A MRRP É UMA FERRAMENTA inovadora porque trata especificamente do ativo intangível mais valioso para as relações públicas: a relação, alinhada às estratégias da organização[32].

É comum o profissional de comunicação dominar a arte de elaborar planejamento, planos, programas, projetos, campanhas e ações para os mais variados clientes. Contudo, não encontramos uma metodologia direcionada para as relações de comunicação de negócio que estivesse fundamentada na ciência. Todos os capítulos anteriores foram essenciais para criar as quatro etapas que compõem a MRRP, na medida em que eles apresentaram pesquisas, conceitos, explicações e visões de diferentes autores. A Figura 17 ilustra as etapas dessa metodologia.

---

32. Utilizaremos como exemplo de atores sociais da MRRP as organizações e os públicos.

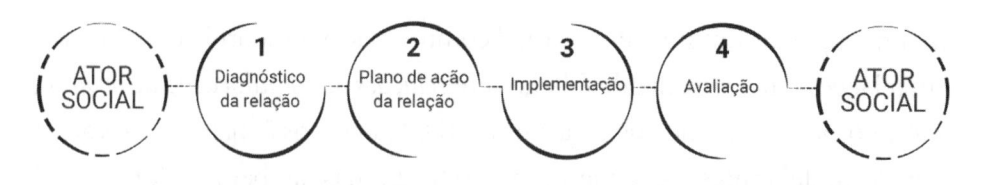

FIGURA 17 | Etapas da Metodologia da Relação de Relações Públicas (MRRP)

Etapa 1 – Diagnóstico da relação

O diagnóstico é a primeira etapa da MRRP, pois é o momento em que o profissional reúne um conjunto de informações para fundamentar o plano de ação; é dessa etapa que surgem os argumentos para defender o orçamento, as ideias, as contratações e a própria necessidade do plano.

Segundo Rebouças de Oliveira (2018, p. 63), o diagnóstico corresponde a uma análise estratégica interna e externa à empresa. Além disso, "deve ter enfoque no momento atual, bem como no próximo momento, no próximo desafio, a fim de constituir a dimensão crítica para o sucesso permanente da empresa analisada".

De acordo com Danilo Gandin (2014, p. 31), o diagnóstico é um juízo sobre a instituição planejada em todos ou em alguns de seus aspectos; é "o resultado da comparação entre o que se traçou como ponto de chegada (marco referencial) e a descrição da realidade da instituição como ela se apresenta".

O diagnóstico da relação é uma análise estratégica de como os atores sociais se relacionam – uma investigação de como a organização se relaciona com seus públicos interna e externamente. Assim, trata-se de um juízo específico sobre o relacionamento, e não sobre todos os aspectos que compõem a empresa.

Para fins da MRRP, propomos aqui três fases para que se realize o diagnóstico da relação:

1. nível *real* da relação, que é a constatação da realidade do relacionamento da organização com seus públicos;
2. nível *ideal* da relação, que é a proposição do melhor caminho a seguir;
3. nível *aspiracional* da relação, que é aquilo que a organização deseja.

Em outras palavras, o diagnóstico da relação é o resultado da análise estratégica da tríade dos níveis real, ideal e aspiracional da interação da organização com seus públicos.

Fase 1: nível real da relação

Essa fase contempla a busca de dados sobre a realidade de como a organização se relaciona com seus públicos em ambientes *online*, físicos e/ou híbridos. O conjunto dos inúmeros dados pode trazer informações e um conhecimento mais profundo das intenções de relacionamento da empresa com seus públicos. Assim, parte-se de um objetivo claro: identificar em que nível de interação com os públicos a organização está. Para tanto, é essencial que o profissional saiba quais os principais elementos que definem uma relação. A Figura 18 mostra um panorama com os elementos básicos que definem a relação.

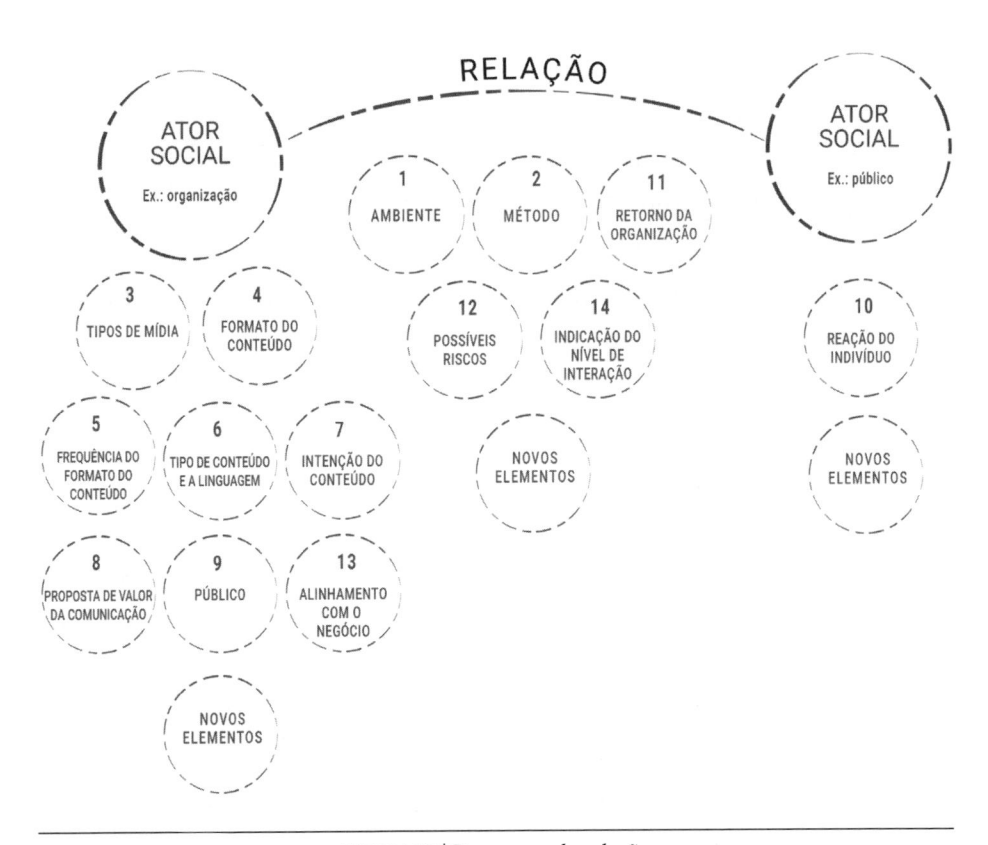

FIGURA 18 | Panorama da relação

Para obter o panorama do nível *real* da relação da organização com seus públicos, é importante seguir os passos preenchendo cada círculo com o máximo de dados encontrados. Assim, temos:

Passo 1: o ambiente
Defina o ambiente que será pesquisado.

As organizações estabelecem relações de comunicação de negócio com públicos estratégicos no ambiente *online*, no físico e/ou no híbrido. É importante analisar todos os espaços em que a empresa está presente – no entanto, sugerimos que se preencha separadamente o panorama da relação, para que os dados possam ser descritos respeitando as características de cada ambiente, mídia, plataforma ou local em que ocorrem as iniciativas.

Passo 2: o método
Explique como será realizada a busca de dados.

Há diferentes procedimentos que podem ser adotados nessa etapa, como pesquisas, entrevistas, observações e monitoramento, entre outros. O método deve ser escolhido conforme o ambiente (passo 1). De acordo com Luís Mauro Sá Martino (2018, p. 66-69), "o método é o conjunto de procedimentos necessários para realizar uma pesquisa", "uma explicação das etapas do caminho da pesquisa, um 'como fazer', mostrando os passos necessários para analisar o objeto e responder às perguntas".

Passo 3: os tipos de mídia
Liste todas as mídias que a empresa utiliza.

A mídia tradicional abrange televisão, rádio, revistas, jornais etc. A mídia social digital abarca a comunicação interativa, que pode ser realizada em tempo real e é, portanto, qualquer plataforma como Instagram, WhatsApp, Facebook, Twitter, TikTok, LinkedIn etc. Há ainda as mídias consideradas próprias da empresa, como o *site*, aplicativos e blogues, entre outras. Além dessas, dependendo da análise que se fizer, deverão ser consideradas as mídias internas da organização.

Passo 4: o formato do conteúdo
Identifique o formato do conteúdo em cada uma das mídias listadas no passo 3.

O conteúdo pode estar em diversos formatos: vídeos, *posts*, cartazes, revistas, jornais, painéis publicitários, *busdoor*, *podcasts*, memes, *lives*, textos, áudios, imagens, *links*, listas, GIFs, gráficos, *webinars* etc.

Passo 5: a frequência do formato do conteúdo
Confira a frequência com que o formato do conteúdo é publicado.

Existem diversos fatores que interferem nessa frequência. Alguns exemplos: o ambiente (passo 1), os tipos de mídia (passo 3), o formato do conteúdo (passo 4) etc.

Passo 6: o tipo de conteúdo e a linguagem
Analise o tipo de conteúdo e a linguagem utilizada em todas as publicações da empresa.

O conteúdo pode ser institucional (valores da marca, projetos sociais, patrocínios, prêmios, doações, ações sociais pontuais etc.), mercadológico (produtos, serviços e experiências) e social (*storytelling*, experiências reais, temas educativos e temas de interesse da sociedade em geral) ou pode, ainda, ser de outros tipos (dicas úteis, assuntos de utilidade pública, conteúdo gerado pelo usuário, conteúdo científico, conteúdo oriundo de crises etc.). Ao analisar o tipo de conteúdo, identifique também qual é a linguagem utilizada pela organização, isto é, se é mais formal, descontraída, se faz brincadeiras, etc. O que direciona o tipo de conteúdo, bem como a linguagem adotada, é o objetivo do plano, programa, projeto, campanha ou ação e a própria cultura da organização. O conteúdo é fundamental para gerar interesse no público e provocar a interação. Para gerar semelhança, o conteúdo precisa ser relevante e significativo, ou seja, precisa fazer sentido para o público. Além disso, as organizações devem valorizar o conteúdo gerado e comentado pelos indivíduos – clientes atuais, clientes potenciais, consumidores ou simpatizantes da marca[33].

---

33. Para mais informações sobre conteúdo de marca, ver Rodrigues (2018).

Passo 7: a intenção do conteúdo
Interprete a intenção da organização com o conteúdo publicado.

Procure colocar-se no lugar de quem está recebendo a mensagem. Independentemente do tipo de conteúdo, há uma intenção quanto à interação com o público. Essa intenção pode ser de apenas informar algo, comunicar, convidar o público para participar de alguma iniciativa ou, ainda, gerar vínculos. No Capítulo 2, tópico "Os quatro níveis de interação" (p. 39), detalhamos cada um deles. É fundamental conhecer as características de cada nível para poder preencher corretamente este passo.

Passo 8: a proposta de valor da comunicação
Verifique se, em qualquer publicação, há alguma proposta de valor para os públicos.

As relações de comunicação de negócio procuram agregar valor para os públicos, principalmente os clientes, pois contemplam iniciativas que conectam ativos intangíveis a ativos tangíveis. São relações que ocorrem na medida em que uma organização propõe qualquer tipo de interação atrelada aos produtos e/ou serviços. A proposta de valor da comunicação pode contemplar ações sociais, programas de fidelidade e de sustentabilidade, abordagem e inclusão de temas de interesse público etc. Em qualquer opção há valorização e reconhecimento dos clientes para gerar fidelidade e satisfação.

Passo 9: o público
Identifique o público para o qual se destina o conteúdo.

Esse é o momento de saber quem são os públicos com os quais a organização propõe algum tipo de interação. A definição do público é uma delimitação cada vez mais específica e segmentada, pois em geral a relação deve ser estabelecida com o indivíduo. Assim, é importante mapear, classificar e analisar o perfil dos públicos, o que abrange, por exemplo, faixa etária, localização, preferências, sentimento quanto à marca, produtos ou serviços, costumes, grau de conexão com a marca[34], estágio de influência, proximidade etc.

---

34. Há diferentes nomenclaturas para entender o grau de conexão de um indivíduo com uma organização no ambiente digital. Alguns exemplos foram descritos por Bianca Dreyer (2017a).

Passo 10: a reação do indivíduo

Mensure, analise e classifique a reação do indivíduo em qualquer iniciativa realizada.

Conhecer detalhadamente as manifestações daqueles que estão do outro lado da relação é tarefa básica para diagnosticar e propor ações de relacionamento. Para isso, é preciso estabelecer métricas (veja no Capítulo 3 o tópico "Métricas", p. 75), pois elas ajudam a identificar com clareza qualquer tipo de reação quantitativa e qualitativa dos públicos, como sentimentos, comportamentos, menções, comentários etc. Embora a organização defina o público-alvo, o retorno pode vir de qualquer indivíduo. Existem diferentes métodos para conhecer a reação dos indivíduos. No ambiente digital, por exemplo, o monitoramento é muito utilizado.

Passo 11: o retorno da organização

Identifique como a empresa está reagindo às manifestações dos públicos.

Na medida do possível e com os recursos disponíveis, verifique a quantidade de respostas, a linguagem da resposta (mais descontraída, mais formal, automatizada etc.), a solução de dúvidas, o tempo de resposta, o incentivo ao diálogo, o uso de inteligência artificial etc. Esse é um momento importante para entender de que maneira a empresa está disposta a interagir.

Passo 12: os possíveis riscos

Aponte possíveis riscos ou possibilidades de crise para a empresa.

Sempre existem riscos e a possibilidade de surgirem crises. Há conteúdos que são naturalmente mais delicados e outros que, mesmo sendo "mais leves", podem também gerar polêmica e diferentes interpretações. No ambiente digital, por exemplo, o risco é iminente, e a crise, embora num primeiro momento seja acontecimento ruim para a organização, pode ser revertida em certas situações. Há diversos tipos de crise, mas o que a define no ambiente digital é a origem e a quantidade de comentários negativos. Assim, um comentário negativo de um influenciador ou celebridade pode causar uma crise, assim como determinada quantidade de menções negativas de clientes. Uma das formas de verificar riscos ou crises é, portanto, analisar todos os comentários negativos que foram encontrados no passo 10.

Passo 13: o alinhamento com o negócio

Verifique se existe alinhamento entre a visão, os valores, a missão, as macroestratégias e o propósito da organização e suas iniciativas de comunicação na prática.

A coerência entre aquilo que a empresa diz e as ações que efetua na prática precisa aparecer para os públicos. O trabalho de alinhamento das estratégias é realizado no planejamento da comunicação para que todas as iniciativas estejam sintonizadas com os interesses de negócio e também façam sentido para a sociedade.

Passo 14: o nível de interação

Indique em que nível de interação a empresa se encontra.

Após completar os passos anteriores, pode-se identificar se a organização está no nível 1 (interação que informa, II), nível 2 (interação que comunica, IC), nível 3 (interação que gera participação, IGP) ou nível 4 (interação que gera vínculo, IGV), ou, ainda, se está em dois níveis ao mesmo tempo. É comum as organizações evoluírem nas relações com os indivíduos e, assim, os níveis de interação se sobreporem na prática. Para responder adequadamente a esse último passo e justificar a indicação, é essencial conhecer as características de cada nível de interação (veja no Capítulo 2 o tópico "Os quatro níveis de interação", p. 39).

Para finalizar a fase 1 do diagnóstico e obter o panorama do nível *real* da relação da organização com seus públicos, é importante tentar preencher detalhadamente os 14 passos. O conjunto deles é uma referência inicial, ou seja, o panorama pode ser alterado ou complementado com outros elementos de análise, segundo a necessidade de cada organização. Em vista disso, alguns círculos são chamados de "novos elementos", para que cada profissional escolha como prefere completar. Por fim, o panorama da relação pode ser aplicado a cada tipo de ambiente, de mídia, público, concorrentes etc., separada ou conjuntamente, até para efeitos de comparação.

Os concorrentes

Dissemos anteriormente que, para a organização ser estratégica, é preciso também saber diferenciar-se da concorrência. Assim sendo, faz-se necessário analisar o nível *real* da relação dos concorrentes diretos e/ou indiretos com o objetivo de obter vantagem competitiva.

Para que a comunicação possa contribuir para a obtenção de vantagem competitiva, deve-se identificar a relação de comunicação de negócio estabelecida entre os concorrentes e seus públicos, o que implica analisar a comunicação de produtos e serviços e, principalmente, a proposta de valor que acompanha tudo isso. É preciso verificar o que faz um cliente interagir com uma marca em detrimento de outras. O que determinada marca oferece que seu concorrente não oferece? A resposta, na maior parte das vezes, encontra-se nos ativos intangíveis.

Fase 2: nível ideal da relação

O objetivo dessa fase é apresentar à organização o que pode ser considerado o nível *ideal* de relação com um ou mais públicos. Uma ferramenta que pode ajudar nesse processo é o próprio panorama da relação, já que pode ser aplicado a qualquer empresa tida como referência em relacionamento com os públicos. Há também o *benchmarking*, considerado por Rebouças de Oliveira (2018, p. 63) "um dos instrumentos administrativos que podem auxiliar o processo do diagnóstico estratégico". O *benchmarking* é a busca de uma referência no mercado que sirva de exemplo para a organização. É uma oportunidade para conhecer e analisar as estratégias adotadas por outras empresas. No caso do relacionamento de uma organização com seus públicos, empresas que estão nos níveis 3 e/ou 4 de interação podem ser a referência. Também é possível usar juntos o panorama da relação e o *benchmarking*.

Fase 3: nível aspiracional da relação

O objetivo da fase 3 é descrever a que a organização aspira como retorno do investimento em ativos intangíveis. É o desejo futuro do resultado das relações de comunicação de negócio com os públicos.

Muitas vezes, o que os gestores idealizam para a empresa não é, por falta de recursos humanos, tecnológicos, ambientais ou quaisquer outros, o que se pode colocar em prática. Entretanto, qualquer organização espera que o investimento na relação com seu público-alvo gere retornos de reputação e retornos financeiros que contribuam para seus objetivos e estratégias.

A ferramenta que, por meio das relações de causa e efeito, pode ajudar no nível aspiracional da relação é o mapa estratégico (veja no Capítulo 4, p. 98). Para iniciar, procure responder às perguntas de comunicação sugeridas nas perspectivas de aprendizado e crescimento, dos processos internos, do cliente e das finanças.

Descrição dos aspectos mais relevantes

Depois de finalizar as três fases do diagnóstico da relação – o nível *real* da relação, o nível *ideal* e o nível *aspiracional* –, é válido fazer uma descrição dos pontos fortes, fracos e neutros e das oportunidades e ameaças encontradas.

Rebouças de Oliveira (2018, p. 68-69) esclarece que os pontos fortes e fracos compõem a análise interna e representam as variáveis controláveis pela organização. As oportunidades e ameaças constituem a análise externa e representam as variáveis não controláveis pela empresa. Além desses pontos, o autor (*ibidem*, p. 69) sugere os pontos neutros, "que são as variáveis internas e controláveis que foram identificadas, mas [para as quais], no momento, não existem condições de estabelecer se estão proporcionando uma condição que pode ser favorável ou desfavorável para a empresa".

Alguns exemplos de variáveis internas da relação que podem estar entre os pontos fortes, fracos e neutros são projetos, patrocínios, eventos e publicações diversas, ou seja, atividades em geral que pertencem à organização; são iniciativas que demonstram algum tipo de interação da empresa com os públicos. Além dessas variáveis, podemos citar a própria reputação, visibilidade e confiança associadas à marca, a produtos e/ou serviços. Entre as variáveis externas da relação, representadas pelas oportunidades e ameaças, estão questões sociais, tecnológicas, políticas, econômicas e ambientais, os concorrentes, o público, as tendências de mercado etc., que interferem direta ou indiretamente na relação da organização com os públicos.

Para analisar de forma estratégica e competitiva o ambiente, existem diferentes abordagens e ferramentas. Entre as mais tradicionais, está a análise conhecida pelo acrônimo Swot[35]. É uma técnica que examina as forças (*strengths*), fraquezas (*weaknesses*), oportunidades (*opportunities*) e ameaças (*threats*) da organização em face do ambiente interno e externo.

Análise estratégica

Para finalizar o diagnóstico da relação, é importante que se faça uma *análise estratégica* das informações. De acordo com Farias e Penafieri (2011, p. 495), "para que a Swot possa representar de fato um instrumento estratégico, mais analítico e menos descritivo, é importante que os elementos oriundos do mapeamento sejam cruzados". Desse modo, sugerimos os seguintes cruzamentos:

- *Pontos fortes e oportunidades.* O momento de pensar em estratégias para obter vantagem competitiva. É a junção dos aspectos positivos da organização com as oportunidades do mercado.
- *Pontos fortes e ameaças.* O período para aproveitar o que a organização tem de bom e criar estratégias para transformar ameaças em oportunidades.
- *Pontos fracos e oportunidades.* Ocasião para criar estratégias que vislumbrem superar as fraquezas internas, transformá-las em pontos fortes e, com base nisso, aproveitar as oportunidades do mercado.
- *Pontos fracos e ameaças.* O momento de pensar em estratégias de sobrevivência e mesmo de repensar o negócio. A união dos aspectos negativos da organização com as ameaças do mercado traz riscos à empresa.

---

35. De acordo com Markus Hofrichter (2017), "[a] origem da técnica de análise Swot poderá ser creditada a Albert Humphrey, que conduziu um projeto de pesquisa na Universidade [...] Stanford nas décadas de 1960 e 1970". Alguns pesquisadores referem-se a pesquisadores da Universidade Harvard – entre eles, Roland Christensen e Kenneth Andrews – como responsáveis pelo seu desenvolvimento e aprimoramento.

Por conseguinte, na redação final do diagnóstico da relação, deve ficar claro o nível de interação em que a organização se encontra e para qual nível ela tem condições de ir, bem como as estratégias que precisam ser priorizadas para que isso ocorra. Assim, o resultado do diagnóstico é imprescindível para iniciar a etapa 2, que é o plano de ação da relação.

A Figura 19 ilustra a etapa 1.

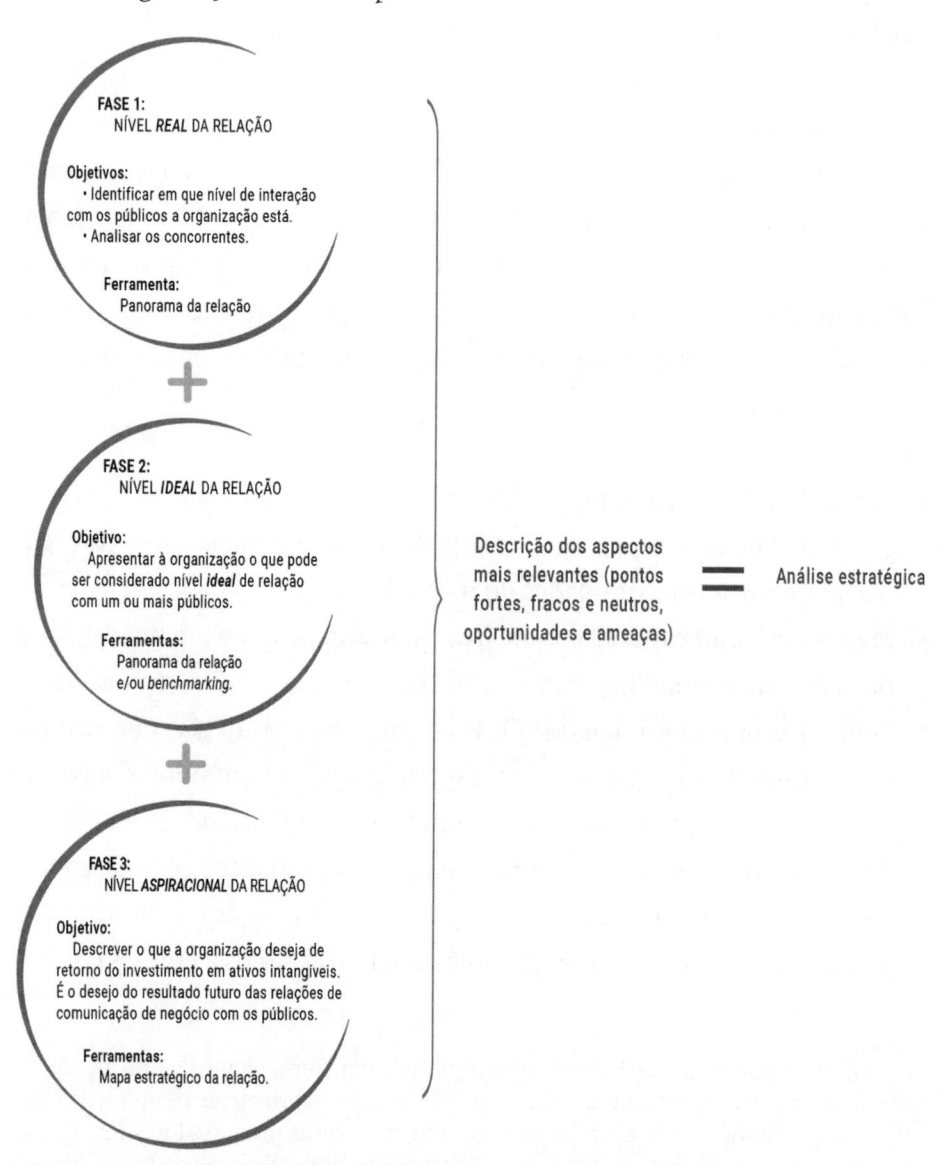

FIGURA 19 | Etapa 1 – Diagnóstico da relação

Etapa 2 – Plano de ação da relação

O objetivo dessa etapa é elaborar o plano de ação para as relações de comunicação de negócio. É o momento de atender à demanda de relacionamento da organização com o seu público-alvo, resolver um problema ou, ainda, propor algo novo conforme o que a organização consegue implementar. O que vai direcionar o plano é o resultado do diagnóstico da relação (etapa 1).

Independentemente de sua estrutura, o plano de ação da relação precisa apresentar a estratégia central e para cada ação – objetivo, meta, métrica, KPIs e estratégia operacional, todos alinhados à estratégia central. Diante de todos os elementos necessários para elaborar um plano completo, esses são os elementos mais importantes para mensurar o andamento e os resultados quantitativos e qualitativos das ações, bem como para mostrar que o investimento em ativos intangíveis pode gerar resultados econômicos para a empresa.

O ponto de conexão do plano de ação da relação com os interesses da organização está na estratégia central (veja no Capítulo 4 o tópico "Estratégia central", p. 123). Acrescentamos ainda que o público interno é um agente de influência da reputação da organização no mercado. Desse modo, é estratégico apresentar o plano primeiro aos funcionários, mesmo que não façam parte das ações diretamente, pois eles saberão posicionar-se quando questionados.

Etapa 3 – Implementação

Essa etapa tem como objetivo implementar o plano de ação da relação por meio de programas, projetos, campanhas e/ou ações. Para isso, o cronograma e um sistema de acompanhamento são essenciais.

Por causa de mudanças constantes e muitas vezes imprevisíveis do ambiente, bem como da reação dos públicos, podem ocorrer alterações no cronograma. Assim, o sistema de acompanhamento é fundamental para diminuir as incertezas e possibilitar que os profissionais tomem decisões mais assertivas. Existem diferentes métodos, técnicas e instrumentos que podem ser usados nessa etapa. Independentemente da escolha feita, a definição de métricas ajuda a mensurar o andamento das iniciativas.

Etapa 4 – Avaliação

O objetivo dessa última etapa é avaliar os resultados do plano de ação. É o momento de mensurar as repercussões e apresentar a conclusão do plano. Entretanto, não basta apenas avaliar o resultado da comunicação; é preciso mostrar como o plano contribuiu para a perspectiva financeira da organização e aumentou a reputação da marca. A MRRP trata de um ativo intangível, que é a relação. Em vista disso, é necessário provar o valor econômico – e o valor social – do investimento nas relações de comunicação.

Também nessa etapa há diferentes métodos, técnicas e instrumentos que se podem utilizar, e, seja qual for a opção, a definição das métricas vai ajudar na mensuração dos resultados das iniciativas. Contudo, além das métricas, é necessário definir os indicadores, pois eles demonstram a *performance* dos desafios e o resultado dos objetivos específicos de cada ação. O detalhamento de como fazer isso está no Capítulo 3, tópicos "Métricas" (p. 75) e "*Key performance indicators* (KPIs)" (p. 82).

Para concluir o plano, é preciso reunir o resultado de todos os objetivos específicos e evidenciar que o conjunto deles alcança o objetivo geral do plano.

A Figura 20 ilustra a MRRP ao resumir suas quatro etapas.

Para finalizar, acrescentamos que a MRRP pode não apenas fazer parte de qualquer tipo de planejamento como também ser aplicada para fins específicos, desde que esteja alinhada com as estratégias de negócio da organização.

A MRRP não é uma metodologia engessada, rígida, tampouco constitui um modelo perfeito para ser aplicado nas organizações. Ao contrário, ela proporciona ao profissional de comunicação flexibilidade para incluir, alterar e/ou selecionar a ordem dos elementos a fim de obter o melhor panorama das relações de comunicação com o ator social que for de seu interesse. Para um estudo mais completo da comunicação, sugerimos ainda pesquisas de imagem, de opinião, mercadológicas, institucionais, de comunicação integrada etc.

Embora este último capítulo tenha sido direcionado para as relações entre organizações e públicos, o profissional de comunicação deparará, em

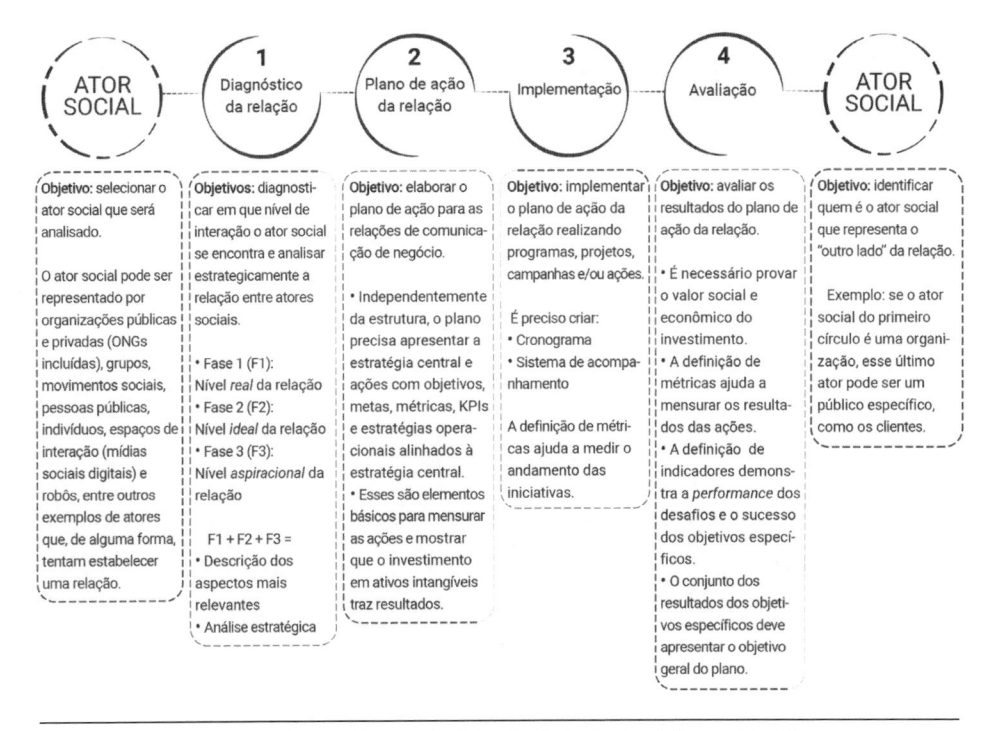

FIGURA 20 | Metodologia da Relação de Relações Públicas (MRRP)

algum momento, com a oportunidade de planejar *relações de comunicação de negócio* para outros atores sociais e deverá comprovar resultados tanto sociais como econômicos. Independentemente de quem sejam esses atores sociais, acreditamos que, com o uso da MRRP, será consagrado o ativo intangível mais valioso das relações públicas: o relacionamento.

Referências bibliográficas

ALBUQUERQUE, Adão Eunes. *Planejamento das relações públicas*. 2. ed. Porto Alegre: Sulina, 1983.

ALMEIDA, Ana Luísa de Castro. "Uma reflexão sobre a tangibilidade da reputação". In: ZANINI, Marco Tulio; MIGUELES, Carmen (orgs.). *Gestão integrada de ativos intangíveis: cultura, liderança, confiança, marca e reputação*. São Paulo: Saraiva Uni, 2017, p. 136-61.

ANDERSON, Forrest *et al. Guidelines for setting measurable public relations objectives: an update*. Institute for Public Relations, 2009. Disponível em: <https://instituteforpr.org/wp-content/uploads/Setting_PR_Objectives.pdf>. Acesso em: 12 fev. 2021.

ANDREWS, Kenneth Richmond. "O conceito de estratégia corporativa". In: MINTZBERG, Henry *et al.* (orgs.). *O processo da estratégia: conceitos, contextos e casos selecionados*. 4. ed. Porto Alegre: Bookman, 2006, p. 78-84.

ARAÚJO, Rodolfo. "Confiança: a base das marcas fortes". *Organicom – Revista Brasileira de Comunicação Organizacional e Relações Públicas*, São Paulo, v. 13, n. 25, 2016, p. 130-34. Disponível em: <https://www.revistas.usp.br/organicom/article/view/139345/134686>. Acesso em: 12 fev. 2021.

ARISTÓTELES. *Metafísica*. v. II. Ensaio introdutório: Giovanni Reale. 5. ed. Trad. Marcelo Perine. São Paulo: Loyola, 2015.

BROOM, Glen M.; CASEY, Shawna; RITCHEY, James. "Concept and theory of organization-public relationships". In: BRUNING, Stephen D.; LEDINGHAM, John A. (orgs.). *Public relations as relationship management: a relational approach to the study and practice of Public Relations*. Mahwah: Lawrence Erlbaum, 2000.

BROWN, Brené. *A coragem de ser imperfeito: como aceitar a própria vulnerabilidade, vencer a vergonha e ousar ser quem você é*. Rio de Janeiro: Sextante, 2016.

CALDAS, Sérgio Leal. "Passivos subjetivos: o lado obscuro da avaliação das empresas". In: ZANINI, Marco Tulio; MIGUELES, Carmen (orgs.). *Gestão integrada de ativos intangíveis: cultura, liderança, confiança, marca e reputação*. São Paulo: Saraiva Uni, 2017, p. 81-113.

CARVALHO, Cíntia; MONTARDO, Sandra. "Reputação: monitoramento e métricas". In: SILVA, Tarcízio (org.). *Para entender o monitoramento de mídias sociais*. v. 1. eBook. 1. ed. [S/l]: Bookess, 2012, p. 19-33.

CASTELLS, Manuel. *A sociedade em rede*. São Paulo: Paz e Terra, 2011.

CIPRIANI, Fabio. *Estratégia em mídias sociais: como romper o paradoxo das redes sociais e tornar a concorrência irrelevante*. 2. ed. Rio de Janeiro: Elsevier, 2014.

DEBORD, Guy. *A sociedade do espetáculo*. Rio de Janeiro: Contraponto, 1997.

DICIONÁRIO *Priberam da língua portuguesa* [em linha], 2008-2020. Disponível em: <https://dicionario.priberam.org>. Acesso em: 15 fev. 2021.

DORAN, George T. "There's a S.M.A.R.T way to write management's goals and objectives". *Management Review*, v. 70, 1981, p. 35-36.

DREYER, Bianca Marder. *Relações públicas na contemporaneidade: contexto, modelos e estratégias*. São Paulo: Summus, 2017a.

_____. "Relações públicas e influenciadores digitais: abordagens para a gestão do relacionamento na contemporaneidade". *Revista Communicare – Revista Semestral do Centro*

Interdisciplinar de Pesquisa da Faculdade Cásper Líbero, São Paulo, v. 17, 2017b, p. 56-75. Disponível em: <https://casperlibero.edu.br/wp-content/uploads/2017/09/Artigo-2--Communicare-17-Edição-Especial.pdf>. Acesso em: 29 mar. 2019.

_____. *As relações e interações como princípios inerentes às relações públicas: uma proposição teórica com diretrizes práticas para a disciplina.* Tese (doutorado em Ciências da Comunicação), Escola de Comunicações e Artes da Universidade de São Paulo, 2019. Disponível em: <https://teses.usp.br/teses/disponiveis/27/27152/tde-17052019-112427/pt-br.php>. Acesso em: mar. 2020.

DREYER, Bianca Marder; SAAD CORRÊA, Elizabeth. "Relacionamentos midiatizados: como estabelecer relações de confiança em tempos de *fake news?*" In: *Anais do XII Congresso Abrapcorp: Grupos de Pesquisa.* v. 1. Goiânia: Universidade Federal de Goiás, Faculdade de Informação e Comunicação, 2018, p. 221-35. Disponível em: <http://portal.abrapcorp.org.br/wp-content/uploads/2019/02/Anais_Abrapcorp_2018_GPs_ISBN.pdf>. Acesso em: 15 fev. 2021.

ESTEVANIM, Mayanna; SAAD CORRÊA, Elizabeth. "Sujeito Dados: apontamentos para a discussão do jornalismo no cenário Big Data". In: *Anais do XXVII Encontro Anual da Compós.* Belo Horizonte: Pontifícia Universidade Católica de Minas Gerais, 2018. Disponível em: <http://www.compos.org.br/data/arquivos_2018/trabalhos_arquivo_96QE5Co3RZOJ16JAB5 5R_27_6514_22_02_2018_12_17_16.pdf>. Acesso em: 15 fev. 2021.

FARIAS, Luiz Alberto de; PENAFIERI, Vânia. "Pesquisa empírica, RP e a opinião que gera relacionamentos". In: BARBOSA, Marialva; MORAIS, Osvando J. de (org.). *Quem tem medo de pesquisa empírica?* São Paulo: Intercom, 2011, p. 485-502.

FARRIS, Paul W. *et al. Métricas de marketing: o guia definitivo de avaliação de desempenho do marketing.* 2. ed. Porto Alegre: Bookman, 2012.

FERGUSON, Mary Ann. "Building theory in public relations: interorganizational relationships as a public relations paradigm". *Journal of Public Relations Research*, v. 30, 2018, p. 164-78.

FERREIRA DOS SANTOS, Mário. *Dicionário de filosofia e ciências culturais.* v. III. São Paulo: Matese, 1966.

FONSECA, Ana Maria da. *Planejamento em relações públicas I.* Apostila da disciplina BIB 02489. Universidade Federal do Rio Grande do Sul. Porto Alegre: Gráfica UFRGS, 2002.

FRANÇA, Fábio. "Gestão de relacionamentos corporativos". In: GRUNIG, James E.; FERRARI, Maria Aparecida; FRANÇA, Fábio (orgs.). *Relações públicas: teoria, contexto e relacionamentos.* 2. ed. São Caetano do Sul: Difusão, 2011, p. 247-319.

_____. *Públicos: como identificá-los em nova visão estratégica.* 3. ed. São Caetano do Sul: Yendis, 2012.

FREEMAN, Edward. *Strategic management: a stakeholder Approach.* Nova York: Cambridge University Press, 2010.

GANDIN, Danilo. *Planejamento como prática educativa.* 21. ed. São Paulo: Loyola, 2014.

GRANDE *dicionário Houaiss (online).* Disponível por assinatura em: <https://houaiss.uol.com.br>.

GREENHALGH, Leonard. *Relacionamentos estratégicos: a chave do sucesso nos negócios.* São Paulo: Negócio, 2002.

HAN, Byung-Chul. *A sociedade da transparência.* Lisboa: Relógio d'Água, 2012.

HOFRICHTER, Markus. *Análise Swot.* eBook Kindle. Simplíssimo, 2017.

_____. *Como definir metas e objetivos de forma correta.* eBook Kindle. Simplíssimo, 2020.

HUANG, Yi-Hui Christine; ZHANG, Yin. "Revisiting organization – Public relationship research for the past decade: theorical concepts, measures, methodologies, and challenges". In: KI, Eyun-Jung; KIM, Jeong-Nam; LEDINGHAM, John A. (orgs.). *Public relations as relationship management: a relational approach to the study and practice of public relations.* Nova York: Routledge, 2015, p. 3-27.

JAHANSOOZI, Julia. "Relationships, transparency, and evaluation: the implications for public relations". In: L'ETANG, Jacquie; PIECZKA, Magda (orgs.). *Public Relations: critical debates and contemporary practice*. Nova York: Routledge, 2013, p. 61-91.

JENKINS, Henry. *Cultura da convergência*. São Paulo: Aleph, 2009.

JENKINS, Henry; FORD, Sam; GREEN, Joshua. *Cultura da conexão: criando valor e significado por meio da mídia propagável*. São Paulo: Aleph, 2014.

KAPLAN, Robert S.; NORTON, David P. *A estratégia em ação*: balanced scorecard. 5. ed. Rio de Janeiro: Campus, 1997.

_____. *Alinhamento: utilizando o* balanced scorecard *para criar sinergias corporativas*. Rio de Janeiro: Alta Books, 2017.

_____. *Mapas estratégicos* – Balanced scorecard: *convertendo ativos intangíveis em resultados tangíveis*. Rio de Janeiro: Alta Books, 2018.

_____. *Organização orientada para a estratégia: como as empresas que adotam o* balanced scorecard *prosperam no novo ambiente de negócios*. Rio de Janeiro: Alta Books, 2019.

KI, Eyun-Jung; SHIN, Jae-Hwa. "The status of organization – Public relationship research through an analysis of published articles between 1985 and 2013: an appeal for further research". In: KI, Eyun-Jung; KIM, Jeong-Nam; LEDINGHAM, John A. (orgs.). *Public relations as relationship management: a relational approach to the study and practice of public relations*. Nova York: Routledge, 2015.

KUNSCH, Margarida Maria Krohling. *Planejamento de relações públicas na comunicação integrada*. São Paulo: Summus, 2003.

_____. *Planejamento de relações públicas na comunicação integrada*. 6 ed. São Paulo: Summus, 2016a.

_____. "A comunicação nas organizações: dos fluxos lineares às dimensões humana e estratégica". In: KUNSCH, Margarida M. K. (org.). *Comunicação organizacional estratégica: aportes conceituais e aplicados*. São Paulo: Summus, 2016b. p. 37-58.

LATTIMORE, Dan *et al. Relações públicas: profissão e prática*. 3 ed. Porto Alegre: AMGH, 2012.

LEE, Kai-Fu. *Inteligência artificial: como os robôs estão mudando o mundo, a forma como amamos, nos relacionamos, trabalhamos e vivemos*. Rio de Janeiro: Globo, 2019.

LEMOS, Else. "Comunicação integrada, relações públicas e gestão da reputação em ambientes digitais: uma perspectiva crítica". *Organicom – Revista Brasileira de Comunicação Organizacional e Relações Públicas*, v. 12, n. 22, 1. sem. 2015, p. 198-208. Disponível em: <http://www.revistas.usp.br/organicom/article/view/139278>. Acesso em: 15 fev. 2019.

_____. *A era pós-disciplinar e o ambiente contemporâneo de relações públicas: cosmovisão ampliada da disciplina*. Tese (doutorado em Ciências da Comunicação). Escola de Comunicações e Artes da Universidade de São Paulo, 2017. Disponível em: <http://www.teses.usp.br/teses/disponiveis/27/27154/tde-23052017-153254/pt-br.php>. Acesso em: 15 fev. 2019.

LÉVY, Pierre. *Cibercultura*. São Paulo: 34, 1999.

LOPES, Valéria de S. Castro. "Os ativos intangíveis como alternativa para demonstração de valor em Relações Públicas". In: *Anais do XII Congresso Abrapcorp: Grupos de Pesquisa*. v. 1. Goiânia: Universidade Federal de Goiás, Faculdade de Informação e Comunicação, 2018. Disponível em: <http://portal.abrapcorp.org.br/wp-content/uploads/2019/02/Anais_Abrapcorp_2018_GPs_ISBN.pdf>. Acesso em: 15 fev. 2021.

MARCONDES NETO, Manoel. *4 Rs das relações públicas plenas: proposta conceitual e prática para a transparência nos negócios*. São Paulo: Ciência Moderna, 2015.

_____. *Composto da comunicação funcional*. Jun. 2020. Disponível em: <https://www.youtube.com/watch?v=m_L_Xfq3qGU>. Acesso em: 15 fev. 2021.

MARTINO, Luís Mauro Sá. *Métodos de pesquisa em comunicação: projetos, ideias, prática*. Petrópolis: Vozes, 2018.

MARTINUZZO, José Antonio. *Os públicos justificam os meios: mídias customizadas e comunicação organizacional na economia da atenção.* São Paulo: Summus, 2014.

MINTZBERG, Henry. "Cinco Ps para estratégia". In: MINTZBERG, Henry *et al.* (orgs.). *O processo da estratégia: conceitos, contextos e casos selecionados.* 4. ed. Porto Alegre: Bookman, 2006, p. 23-29.

MONTEIRO, Diego; AZARITE, Ricardo. *Monitoramento e métricas de mídias sociais – Do estagiário ao CEO: um modelo prático para toda a empresa usar mídias sociais com eficiência e de forma estratégica.* São Paulo: DVS, 2012.

MOURA, Cinara; OLIVEIRA, Mariana. *Como trabalhar métricas e KPIs em mídias sociais.* eBook. 2019. Disponível em: <https://pt.slideshare.net/mouracinara/como-trabalhar-mtricas-e--kpis-em-mdias-sociais>. Acesso em: 15 fev. 2021.

OLIVEIRA, Maria José da Costa. "De públicos para cidadãos: reflexão sobre relacionamentos estratégicos". In: FARIAS, Luiz Alberto de (org.). *Relações públicas estratégicas: técnicas, conceitos e instrumentos.* São Paulo: Summus, 2011.

OWYANG, Jeremiah; LOVETT, John (orgs.). *Social marketing analytics: a new framework for measuring results in social media* [Pesquisa da Web Analytics Demystified e do Altimeter Group]. 21 abr. 2010. Disponível em: <https://pt.slideshare.net/jeremiah_owyang/altimeter-report--social-marketing-analytics>. Acesso em: 15 fev. 2021.

PÉREZ, Rafael A. *Estrategias de comunicación.* 4. ed. Barcelona: Ariel, 2008.

PÉREZ, Rafael A.; MASSONI, Sandra. *Hacia una teoría general de la estrategia.* Barcelona: Ariel, 2009.

PORTER, Michael E. "O que é estratégia". In: MINTZBERG, Henry *et. al.* (orgs.). *O processo da estratégia: conceitos, contextos e casos selecionados.* 4. ed. Porto Alegre: Bookman, 2006a, p. 34-39.

_____. "Como as forças competitivas moldam a estratégia". In: MINTZBERG, Henry *et al.* (orgs.). *O processo da estratégia: conceitos, contextos e casos selecionados.* 4. ed. Porto Alegre: Bookman, 2006b, p. 95-101.

PRIMO, Alex F. T. *Interação mediada por computador: a comunicação e a educação a distância segundo uma perspectiva sistêmico-relacional.* Tese (doutorado em Informática na Educação),. Universidade Federal do Rio Grande do Sul, Porto Alegre, 2003.

QUINN, James Brian. "Estratégias para mudança". In: MINTZBERG, Henry *et al.* (orgs.). *O processo da estratégia: conceitos, contextos e casos selecionados.* 4. ed. Porto Alegre: Bookman, 2006, p. 29-34.

REALE, Giovanni. "Ensaio introdutório". In: ARISTÓTELES. *Metafísica.* v. l. Trad. Marcelo Perine. 3. ed. São Paulo: Loyola, 2014.

REBOUÇAS DE OLIVEIRA, Djalma de Pinho. *Planejamento estratégico: conceitos, metodologia e práticas.* 34. ed. São Paulo: Atlas, 2018.

RECUERO, Raquel. *Redes sociais na internet.* 2. ed. Porto Alegre: Sulina, 2011.

RIFKIN, Jeremy. *A era do acesso.* São Paulo: Makron, 2001.

RODRIGUES, Daniele C. "Narrativas de marcas no ambiente digital: um híbrido de formatos e linguagens dos mundos da publicidade e do editorial". In: *Anais do 41º Congresso Brasileiro de Ciências da Comunicação – Intercom,* Joinville, 2-8 set. 2018. Disponível em: <http://www.intercom.org.br/sis/eventos/2018/resumos/R13-2281-1.pdf>. Acesso em: 15 fev. 2021.

ROSA, Mário. *A reputação na velocidade do pensamento: imagem e ética na era digital.* São Paulo: Geração, 2006.

SAAD CORRÊA, Elizabeth. "Comunicação na contemporaneidade: visibilidades e transformações". In: SAAD CORRÊA, Elizabeth (org.). *Visibilidade e consumo da informação nas redes sociais.* Porto: Media XXI, 2016, p. 19-39.

SHIRKY, Clay. *A cultura da participação: criatividade e generosidade no mundo conectado.* Rio de Janeiro: Zahar, 2011.

SILVA, Daniel Reis. "Dinâmicas da desmobilização: a criação de entraves aos processos de formação e movimentação de públicos". In: *Anais do XXVIII Encontro Nacional da Compós*, Pontifícia Universidade Católica do Rio Grande do Sul, Porto Alegre, 2019. Disponível em: <http://www.compos.org.br/biblioteca/trabalhos_arquivo_AYPRNO6iZRVEKBAoiX LP_28_7310_22_02_2019_12_55_59.pdf>. Acesso em: 15 fev. 2021.

SILVA, Diego W. "Propósito: a ascensão das causas sociais na base das relações com/junto a empregados e consumidores". In: SCHEID, Daiane; MACHADO, Jones; PÉRSIGO, Patrícia M. (orgs.). *Tendências em comunicação organizacional: temas emergentes no contexto das organizações*. Santa Maria: Facos-UFSM, 2019, p. 250-64.

SILVA, Tarcízio. "Monitoramento de mídias sociais". In: SILVA, Tarcízio (org.). *Para entender o monitoramento de mídias sociais*. v. 1. 1. ed. eBook. [S/l]: Bookess, 2012, p. 19-33.

SIMÕES, Roberto Porto. *Relações públicas: função política*. São Paulo: Summus, 1995.

SOARES, Estêvão. "ROI". In: SILVA, Tarcízio (org.). *Para entender o monitoramento de mídias sociais*. v. 1. 1. ed. eBook. [S/l]: Bookess, 2012, p. 19-33.

TERRA, Carolina. "Relacionamentos nas mídias sociais (ou relações públicas digitais): estamos falando da midiatização das relações públicas?" *Organicom – Revista Brasileira de Comunicação Organizacional e Relações Públicas*, ano 12, n. 22, São Paulo, 1. sem. 2015. Disponível em: <http://www.revistas.usp.br/organicom/article/view/139271/134612>. Acesso em: 15 fev. 2021.

THOMPSON, John B. "A nova visibilidade". *Revista MATRIZes*, v. 1, n. 2, São Paulo, 2008, p. 15-38. Disponível em: <https://www.revistas.usp.br/matrizes/article/view/38190/40930>. Acesso em: 15 fev. 2021.

_____. *A mídia e a modernidade: uma teoria social da mídia*. 15. ed. Petrópolis: Vozes, 2014.

TRINDADE, Eneus. "Mediações e midiatizações do consumo". In: *Anais do 37º Congresso Brasileiro de Ciências da Comunicação – Intercom*. Foz do Iguaçu: Intercom/Unicentro/Unila/UDC/ PTI, 2014. Disponível em: <www.intercom.org.br/papers/nacionais/2014/resumos/ R9-0253-1.pdf>. Acesso em: 15 fev. 2021.

WEBER SHANDWICK; KRC RESEARCH. "The state of corporate reputation in 2020: everything matters now". 14 jan. 2020. Disponível em: <https://www.webershandwick.com/news/ corporate-reputation-2020-everything-matters-now/>. Acesso em: 28 maio 2020.

WHITTINGTON, Richard. *O que é estratégia?* São Paulo: Thomson Learning, 2002.

WOLTON, Dominique. *Informar não é comunicar*. Porto Alegre: Sulina, 2011.

XIFRA, Jordi. *Manual de relaciones públicas e institucionales*. Madri: Tecnos, 2011.

YANAZE, Mitsuru Higuchi; FREIRE, Otávio; SENISE, Diego. *Retorno de investimentos em comunicação: avaliação e mensuração*. São Caetano do Sul/Rio de Janeiro: Difusão/Ed. Senac Rio de Janeiro, 2013.

Agradecimentos

SOU MUITO GRATA A DEUS e à vida pela oportunidade de escrever este livro. Aqui destaco aqueles que estiveram mais próximos ao longo desta jornada.

Ao meu marido, Márcio, pela paciência, incentivo e conselhos. Tu foste a luz que iluminou meu caminho e permitiu que eu fizesse minhas escolhas com mais segurança e conhecimento.

À minha mãe, Cristina, por ter estado sempre perto e pronta para me ajudar. Certamente minha escolha pela docência foi iluminada por ela. Cresci vendo-a preparar suas aulas, trabalhos e provas com muita dedicação e amor pelo trabalho. Além disso, ela faz comida como ninguém. Minha mãe tem uma energia contagiante; quero chegar aos 60 anos assim!

Ao meu pai, Ayrton, e à minha avó, Delmira, que mesmo longe se fazem presentes.

Ao meu filho, Guilherme, meu maior presente da vida. De todas as pessoas queridas que convivem comigo, ele foi a de quem mais senti saudade nesse período. Foram incontáveis as visitas à casa da vovó em Porto Alegre.

À minha orientadora, profa. dra. Elizabeth Saad, que tanto admiro como minha professora, orientadora e amiga. Devo muito a ti, Beth, por tudo que aprendi.

Aos profs. drs. Eneus Trindade e Cláudia Peixoto de Moura, pelas contribuições na banca de qualificação e pelo incentivo para aprofundar meus estudos nas questões mais teóricas das relações e interações em relações públicas.

À profa. dra. Margarida Maria Krohling Kunsch, por ter sido a primeira pessoa a me dar a oportunidade de vivenciar a experiência em sala de aula. Com certeza, foi esse um grande estímulo para eu definir minhas escolhas profissionais.

Aos profs. drs. Luís Mauro Sá Martino e Lúcia Leão, que, junto com a profa. dra. Margarida, a profa. dra. Cláudia, o prof. dr. Eneus e a profa. dra. Beth Saad, compuseram a banca de defesa da minha tese de doutorado.

Ao sr. Ademar Bueno, que, sem ter sabido, ajudou-me a definir os rumos da minha carreira profissional na comunicação.

A Pedro Maioli, cientista da computação, pelo excelente trabalho de *web scraping*.

À minha sogra, Miriam Limberger, pelo apoio e pelo cafezinho maravilhoso nas melhores partes do dia. Ela é, na prática, a relações-públicas da família.

Ao meu sogro, Mário Limberger, pelo exemplo de firmeza e dedicação à vida profissional.

À minha amiga Else Lemos, por tanto me ter inspirado e ajudado. Nos momentos de maior aperto, ela sempre esteve presente.

À minha amiga Maura Padula, por me ter acolhido em sua casa com um carinho enorme todas as vezes em que fui lecionar em Campinas. Aprendi muito com ela na vida pessoal e profissional.

À minha amiga Elaine Gonçalves, por ter estado sempre perto e sido tão cuidadosa comigo. Só ela sabe quantas vezes desmarquei cafezinhos e outros passeios em função de trabalho.

À minha amiga Raquel Ferlauto, que mora no meu coração e sempre me faz dar boas risadas.

À minha amiga Valeria Souza, que desde os tempos de graduação está presente na minha vida com muito carinho.

Aos meus amigos Carolina Terra e João Raposo, pelas conversas de trabalho e de vida.

Aos meus alunos e ex-alunos, por tanto me terem ensinado.

Muitas outras pessoas contribuíram para a produção deste livro. Assim, peço desculpas antecipadas, pois certamente estou esquecendo alguém.

www.gruposummus.com.br